MALCOLM HOPE BETTY HUNT

le sacro-saint tennis du samedi matin, le match

Oxford University Press

Oxford University Press, Walton Street, Oxford OX2 6DP

Oxford New York Toronto
Delhi Bombay Calcutta Madras Karachi
Kuala Lumpur Singapore Hong Kong Tokyo
Nairobi Dar es Salaam Cape Town
Melbourne Auckland Madrid

and associated companies in
Berlin Ibadan

Oxford is a trade mark of Oxford University Press

First published 1993
Reprinted 1994

ISBN 0 19 912127 3

Acknowledgements

The authors would like to thank Halina Boniszewska and Dick Capel Davies for their patient and helpful editing, Béatrice Davies, Claude and Claudine Lavabre for their advice, and those teachers in Oxfordshire and Buckinghamshire who trialled the materials and were generous with their encouragement. Thanks also go to Arthur Miller, June Shaw, David Smith and John Thorogood for their comments and suggestions in the formative stages.

The authors and publishers are grateful to the following for permission to reproduce photographs:

Bridgman Art Library, p.55; Sally & Richard Greenhill, p.104 (both), p.128 bottom centre; Hutchison Library, p.63, p.116 bottom, p.128 top centre; Phonogram, p.52 top right; Polydor, p.52 centre right; Rex Features, p.50, p.82, p.116 top, p.128 top left, bottom right, right; Unicef/Roger Lemoyne, p.130 top; Unicef/Schytte, p.130 bottom.

The authors and publishers are grateful to the following for permission to reproduce copyright material:

Calmann-Lévy; Ecoleauto Diffusion; Editions Buchet/Chastel; Editions Casterman; Editions de Fallois; Editions de la Réunion des Musées Nationaux; Editions du Livre d'Or, Flammarion; Editions du Seuil; Editions Fernand Nathan; Editions Gallimard; Editions Gamma; Elle; Evènement de jeudi; Femme actuelle; Figaro madame; France Football; Grasset et Fasquelle; Le Matin; Le Monde; Le Nouvel Observateur; Le Point; Le Progrès; Les Editions de Minuit; Libération; Livre de Poche; Marie-Claire; Mohn-Eride; Okapi (Presse Bayard); Ouest-France; Parc National des Pyrénées.

Photographs in the Atelier section were taken by Judith Aronson.

Illustrations are by James Alexander, Jones Sewell and Raynor Design.

Designed and typeset by Raynor Design

Printed and bound in Great Britain by
Butler & Tanner Ltd, Frome and London

Table de matières

Avis à l'étudiant

Languages have rules and you need to know them. But these rules are of different kinds. To understand them fully we need to look at language in what linguists call context. This book teaches some of these rules, for example, how verbs work, how some language structures differ between speech and writing, by showing language in action. Understanding the rules of grammar is not an end in itself, but it can make you feel more confident in expressing yourself, both in the written and spoken language.

This book is intended for use in the classroom and/or as an aid to independent study. The items have been selected on the advice of practising teachers and in response to the needs and requests of our own students.

The first section is the *Index*, which gives page references in French and English. The *Atelier* section will help you identify certain parts of speech and understand their function within the sentence, such as the difference between the direct and indirect object of the verb. There is a full section on the characteristics of spoken and written language and on register. By working through the exercises in the *Section contrôle*, you can check whether or not you have understood the key points.

All French grammatical terms are listed in the *Vocabulaire de la grammaire*, where you will also find examples and the corresponding English term. French is the language of communication throughout the book. The *Référence et pratique* section is in alphabetical sequence. Sometimes a grammatical term – e.g. *le passé composé* – is used as a heading; sometimes the French word itself – e.g. *qui, que.* In each case, we have chosen the heading which might be most familiar to you. We hope that you will consult this reference section as and when you need, rather than systematically working through it. You can choose any page, work through the exercises, and correct them yourself. This book should complement your studies by helping you revise and by providing extra practice of difficult or unfamiliar grammatical points. The illustrations of these points are taken from a wide variety of sources, from poems to advertisements. Where necessary, there is a brief vocabulary with English translation. On each page a full explanation of the grammar is given in French, and is supported by a brief explanation in English for those of you working at home without a teacher.

Finally, using the same theme and the same vocabulary as the chosen extract, written exercises test your understanding. You can check your answers with the *Corrigé* section – at the back.

Index

Les termes importants en français sont représentés en caractères gras. Le symbole > dirige le lecteur à consulter la référence qui suit.

A noter que les *définitions* et des exemples se trouvent dans la section intitulée *Vocabulaire de la grammaire.*

Ateliers

Atelier 1 construction de la phrase

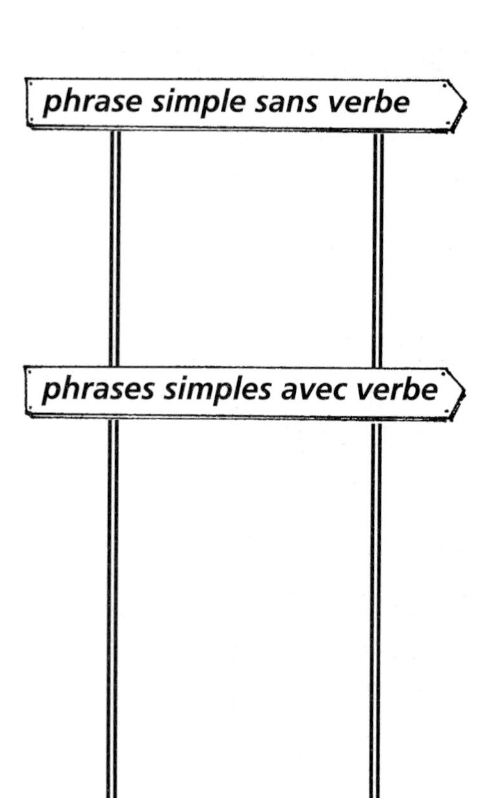

La différence entre une phrase simple et une phrase complexe? Eh bien, une phrase complexe comporte au moins deux propositions.

Ah oui?

Tu vas voir ce que c'est qu'une proposition. Suis-moi...

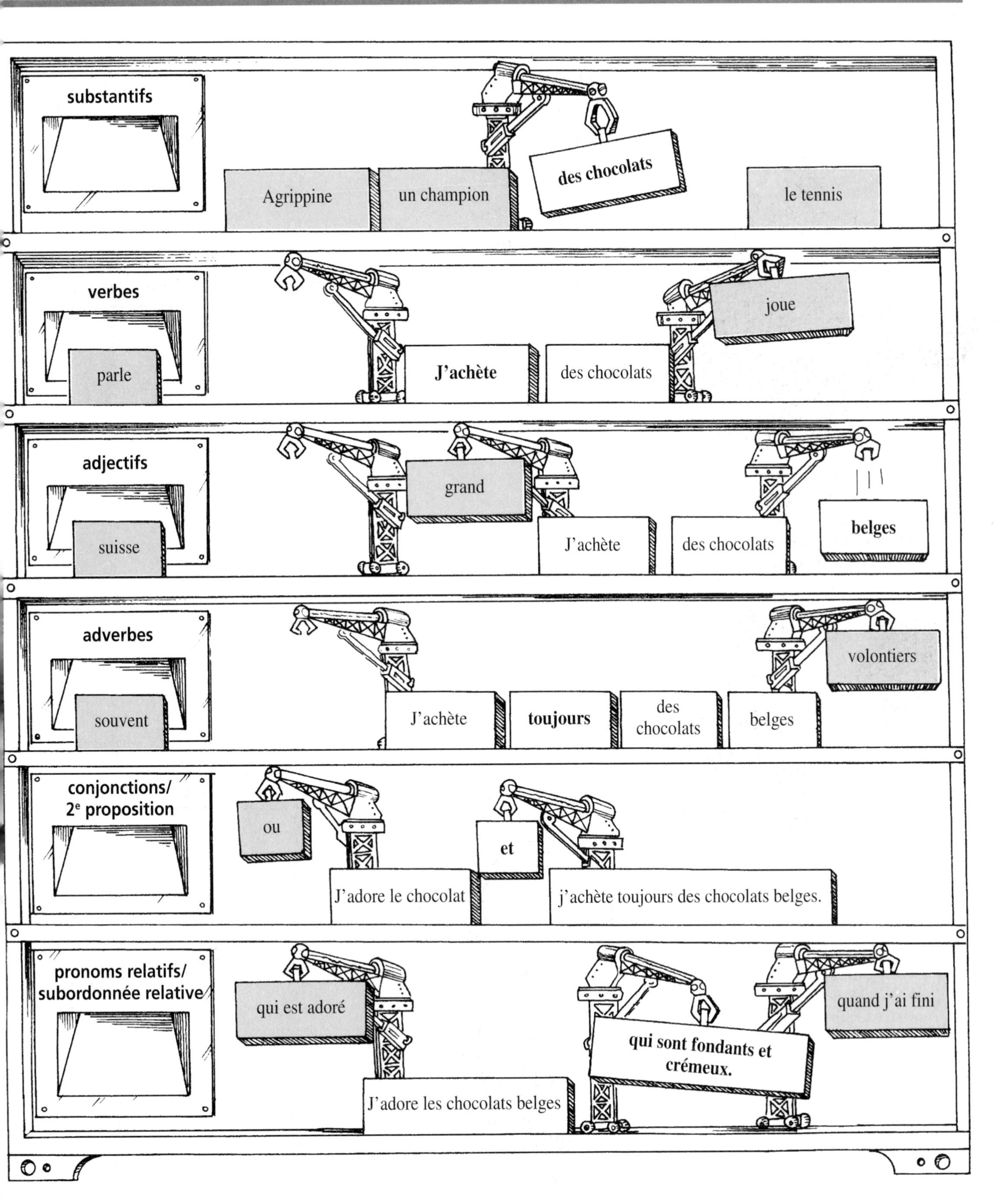
substantifs
Agrippine
un champion
des chocolats
le tennis
verbes
parle
J'achète
des chocolats
joue
adjectifs
suisse
grand
J'achète
des chocolats
belges
adverbes
souvent
J'achète
toujours
des chocolats
belges
volontiers
conjonctions/
2e proposition
ou
J'adore le chocolat
et
j'achète toujours des chocolats belges.
pronoms relatifs/
subordonnée relative
qui est adoré
J'adore les chocolats belges
qui sont fondants et crémeux.
quand j'ai fini

Atelier 2 mécanisme de la phrase

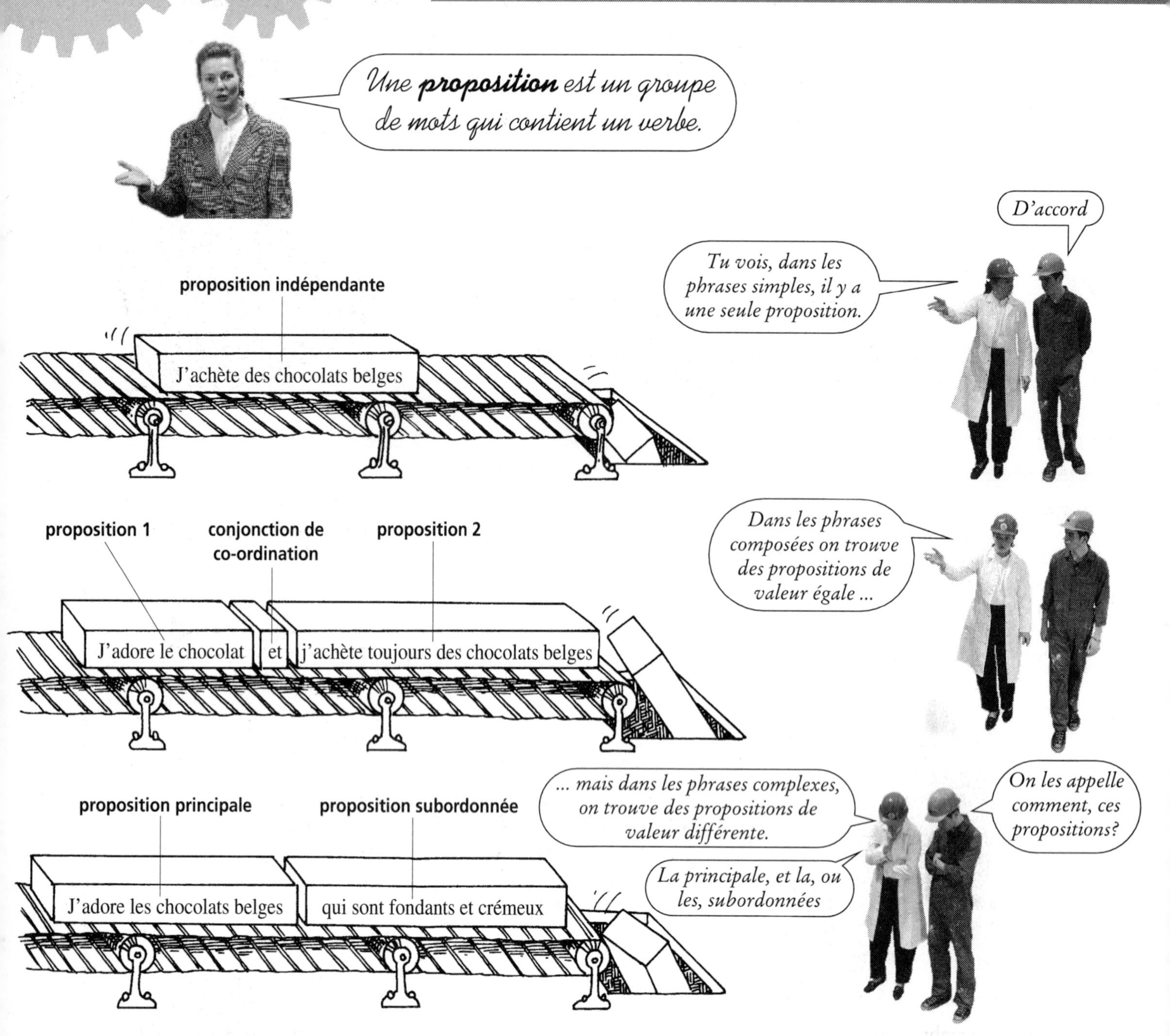

propositions indépendantes

a dans une phrase simple:
J'adore le chocolat.
Je préfère les chocolats belges.

b dans une phrase composée:
J'adore le chocolat et je préfère les chocolats belges.
Sylvie aime les pralinés, Patrick aime les caramels.

Deux propositions indépendantes sont séparées par une virgule ou une autre ponctuation ou liées par une conjonction (*et, mais, ou …*)

propositions principales et subordonnée(s)

J'adore les chocolats belges, qui sont fondants et crémeux. (subordonnée relative)

La proposition *qui est fondant et crémeux* est subordonnée à (= *a besoin de*) la principale. Cette subordonnée est une **subordonnée relative** introduite par le pronom relatif, *qui*. Il y a plusieurs sortes de subordonnées. Voici un exemple d'une **subordonnée circonstancielle** introduite par *quand*:

J'achète du chocolat belge *quand j'ai assez d'argent*. (subordonnée circonstancielle)

*Pour bien expliquer le mécanisme de la phrase nous allons identifier la fonction **sujet** et la fonction **complément**.*

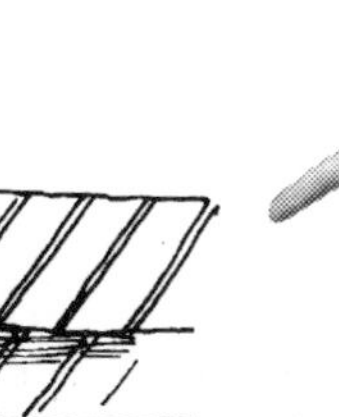

le sujet

peut être:
- un **nom** ou un **pronom**: *Yannick* joue et *ils* le regardent.
- un **groupe nominal**: *Les enfants des athlètes* admirent leurs parents.
- un **infinitif**: *Jouer* lui plaît.
- une **subordonnée**: *Qu'ils regardent* ne l'énerve pas.

Yannick Noah embrasse ses enfants.
Yannick Noah est adoré par ses enfants.

sujet: *Yannick Noah*
le sujet exprime l'état ou l'action que marque le verbe.

Yannick Noah achète des chocolats.
complément d'objet direct (COD): *des chocolats.*

Yannick Noah les offre à ses enfants.
complément d'objet indirect (COI): à *ses enfants.*

C'est la préposition qui sépare le verbe et le COI.

le complément

aussi peut être:
- un **nom** ou un **pronom** etc.**:** Il aime *le* tennis et il *les* aime.

Atelier 3 le verbe

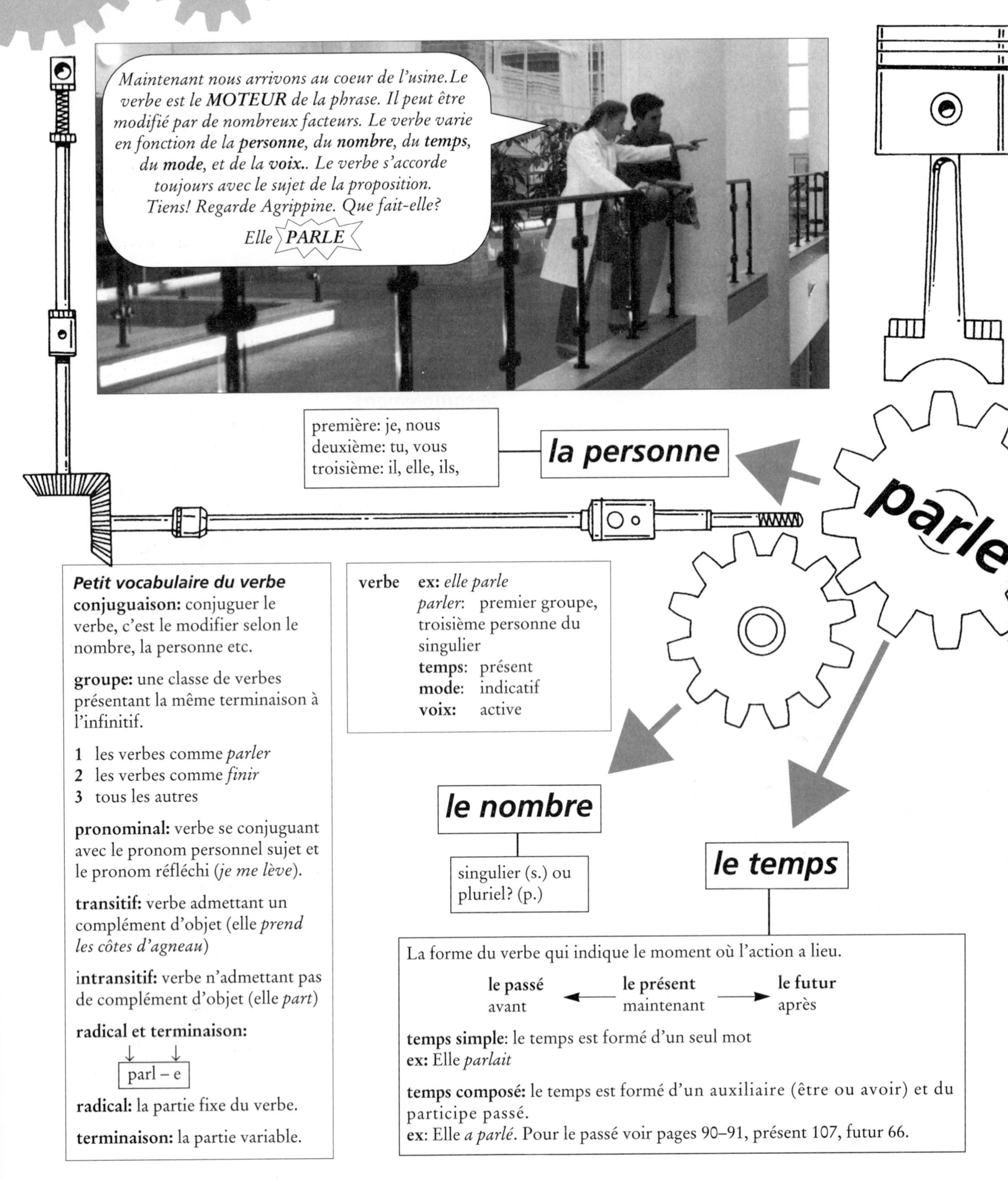

la personne

première: je, nous
deuxième: tu, vous
troisième: il, elle, ils,

Petit vocabulaire du verbe

conjuguaison: conjuguer le verbe, c'est le modifier selon le nombre, la personne etc.

groupe: une classe de verbes présentant la même terminaison à l'infinitif.

1 les verbes comme *parler*
2 les verbes comme *finir*
3 tous les autres

pronominal: verbe se conjuguant avec le pronom personnel sujet et le pronom réfléchi (*je me lève*).

transitif: verbe admettant un complément d'objet (elle *prend les côtes d'agneau*)

intransitif: verbe n'admettant pas de complément d'objet (elle *part*)

radical et terminaison:

↓ ↓
parl – e

radical: la partie fixe du verbe.

terminaison: la partie variable.

verbe ex: *elle parle*
parler: premier groupe, troisième personne du singulier
temps: présent
mode: indicatif
voix: active

le nombre

singulier (s.) ou pluriel? (p.)

le temps

La forme du verbe qui indique le moment où l'action a lieu.

le passé avant	←	**le présent** maintenant	→	**le futur** après

temps simple: le temps est formé d'un seul mot
ex: Elle *parlait*

temps composé: le temps est formé d'un auxiliaire (être ou avoir) et du participe passé.
ex: Elle *a parlé*. Pour le passé voir pages 90–91, présent 107, futur 66.

Indicatif			
présent	*imparfait*	*passé simple*	*futur*
je parle	je parl**ais**	je parl**ai**	je parl**erai**
tu parl**es**	tu parl**ais**	tu parl**as**	tu parl**eras**
il parl**e**	il parl**ait**	il parl**a**	il parl**era**
nous parl**ons**	nous parl**ions**	nous parl**âmes**	nous parl**erons**
vous parl**ez**	vous parl**iez**	vous parl**âtes**	vous parl**erez**
ils parl**ent**	ils parl**aient**	ils parl**èrent**	ils parl**eront**
passé composé	*plus-que-parfait*	*passé antérieur*	*futur antérieur*
j'ai parlé	j'avais parlé	j'eus parlé	j'aurai parlé
tu as parlé	tu avais parlé	tu eus parlé	tu auras parlé
il a parlé	il avait parlé	il eut parlé	il aura parlé
nous avons parlé	nous avions parlé	nous eûmes parlé	nous aurons parlé
vous avez parlé	vous aviez parlé	vous eûtes parlé	vous aurez parlé
ils ont parlé	ils avaient parlé	ils eurent parlé	ils auront parlé

participe présent – parlant *participe passé* – parlé

l'indicatif: exprime ce qui est réel.
ex: *Agrippine parle et je l'écoute.*

le subjonctif: exprime un doute, une possibilité, nos sentiments envers les choses.
ex: *Il est possible qu'elle soit de mauvaise humeur.* voir page 122

subjonctif	
présent	*imparfait*
que je parl**e**	que je parl**asse**
que tu parl**es**	que tu parl**asses**
qu'il parl**e**	qu'il parl**ât**
que nous parl**ions**	que nous parl**assions**
que vous parl**iez**	que vous parl**assiez**
qu'ils parl**ent**	qu'ils parl**assent**
passé	*plus-que-parfait*
que j'aie parlé, etc.	que j'eusse parlé, etc.

les modes

montrent le rapport entre le sujet et le verbe

le conditionnel: indique
- **a** une action qui dépend d'une condition,
- **b** une supposition.

ex: *Agrippine sortirait avec ses amis si sa mère était d'accord.* voir page 57

conditionnel
présent
je parl**erais**
tu parl**erais**
il parl**erait**
nous parl**erions**
vous parl**eriez**
ils parl**eraient**
passé
j'aurais parlé, etc.

l'infinitif: mode impersonnel du verbe.

l'impératif: exprime un ordre, un conseil.
Agrippine, ne me parle pas comme ça!
voir page 72

impératif
parle!
parlons!
parlez!

les voix

actif ou passif?

la voix active: le sujet fait l'action.
ex: *Agrippine invite son copain.*

la voix passive: le sujet subit l'action.
ex: *Agrippine est invitée par son copain.*
voir page 101

Atelier 4 langue parlée, langue écrite

laboratoire d'analyse de langue

*Qu'est-ce qui se dit? Qu'est-ce qui s'écrit? On peut distinguer les caractéristiques de l'**écrit** et de la **parole**. Comparez ces deux descriptions d'un match de basket. Anne parle au téléphone et Alexa écrit...*

Anne parle

Alors, les Cubains ... euh ... leur entraîneur ... euh, comment s'appelle-t-il déjà? ... oui ... Blackwood ... alors, il changeait de joueurs tout le temps ... sans cesse, oui ... voilà ... il a fait énormément de changements. Absolument ... mais ça ne faisait rien ... enfin ... non.

caractéristiques de la langue parlée

1 produite **en situation** - à un moment donné et en des lieux précis - donc le contexte des mots tel que «moi», «ici» est compris.

2 fonctionnement *différent* de celui décrit dans les «grammaires»

ex: – importance de prononciation, d'élision*, d'intonation
– phrases plutôt courtes
– phrases sans verbe
– hésitations, faux départs, répétitions
– présence d'«appuis du discours»
ex: «tu sais»; «n'est-ce pas?»

l'élision
Normalement il s'agit de l'effacement d'un élément vocalique final (indiqué dans l'écriture par un apostrophe, ex: ce+ est › c'est)
Mais voici une illustration assez extrême de son emploi... (y=il)

Tu vas au bal? – qu'y m'dit
J'ui dis: qui? – y m'dit toi
J'ui dis: moi? – y m'dit oui
J'ui dis: non, je peux pas
C'est trop loin – y m'dit bon

Et toi, t'y vas? – qu'j'ui dis
Y m'dit: qui? j'ui dis toi
Y m'dit: moi? j'ui dis oui
Y m'dit: non, j'y vais pas
J'ai un rhume et j'ai froid

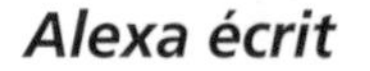

Alexa écrit

Malgré de multiples changements de joueurs, l'entraîneur cubain, Blackwood, n'a pas réussi à trouver une parade efficace contre les services en boulets de canon et contre les smashs meurtriers d'Andrea Zorzi, le grand homme du match.

caractéristiques de la langue écrite

1 n'est pas **en situation**, donc doit comporter plus d'informations pour éviter les confusions

2 phrases longues ou courtes, quelquefois à propositions multiples, souvent subordonnées

3 importance de ponctuation pour:
a découper la phrase (, ; :) et
b nous indiquer l'intonation (? !)

4 emploi de temps particuliers ex: le passé simple

le registre

En écrivant ou en parlant, nous disposons de plusieurs registres de langue. Selon la situation, les circonstances, la nature du message que nous voulons transmettre, notre interlocuteur/lecteur, nous choisissons entre des registres différents.

Ces registres sont nombreux, mais on les regroupe d'ordinaire en trois grands types: le registre **familier**, le registre **courant** et le registre **soutenu**. Ils se distinguent au niveau de la prononciation, de la grammaire et du vocabulaire.

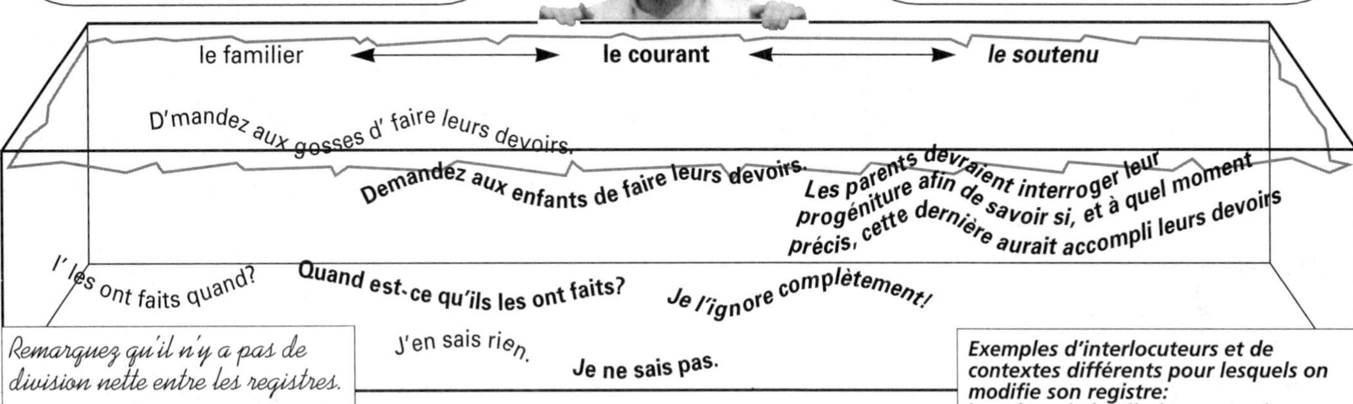

Exemples d'interlocuteurs et de contextes différents pour lesquels on modifie son registre:
les enfants, la famille, les copains, les professeurs, les journaux, les informations, ceux qu'on ne connaît pas, les clients, le patron, les lettres officielles, la poésie, les romans, les dissertations, etc.

Voyez-vous les différences de registre entre ces extraits? Discutez-en avec d'autres étudiants.

Des ouvrières bavardent

Maryvonne, l'héroïne du roman de Dorothy Letessier, *Le voyage à Paimpol*, travaille dans une usine. Fatiguée, à la fin de la journée, elle regarde la pendule...

> – Les dernières secondes, c'est les plus longues de la journée.
> – C'est pas possible, elle recule ou quoi, cette pendule!...
> – Allez les filles, on s'en va. C'est pas que je m'ennuie, mais y'a mon boulot qui m'attend à la maison.
> – Fais gaffe, il y a le chef qu'est au milieu de l'atelier à nous surveiller avec ses sales yeux de cacahuètes...

Vocabulaire simple, familier:
boulot - travail

Elision, ellipse:
c'est pas - (ce n'est pas)
'y a - (il y a)
qu'est - (qui est)

Grammaire relâchée:
c'est les - (ce sont les)

La même ouvrière parle à une réunion d'ouvriers pendant une grève:

> – Nous tous, hommes et femmes, jeunes et vieux, unis dans cette lutte... Nous sommes les plus forts... nous le montrerons... nous gagnerons!

Vocabulaire simple, éloquant, inspirant.
Enoncés complets.
Cadence rhétorique.

Une philosophe écrit

Dans *le Deuxième Sexe*, Simone de Beauvoir parle des ouvrières:

> .... Une dame importante et bien pensante a fait récemment une enquête auprès des usines Renault: elle affirme que celles-ci préféreraient rester au foyer plutôt que de travailler à l'usine. Sans doute, elles n'accèdent à l'indépendence économique qu'au sein d'une classe économiquement opprimée; et d'autre part les tâches accomplies à l'usine ne les dispensent pas des corvées du foyer.

Vocabulaire précis, sobre:
accéder, affirmer, accomplir

Phrases longues
Propositions co-ordonnées et subordonnées
Temps: présent, passé composé
Modes: indicatif, conditionnel

Un romancier écrit

Dans son roman *325000 Francs*, Roger Vailland peint une scène où la soeur de l'ouvrier Busard l'empêche de travailler; elle sait qu'il est trop fatigué:

> – Il baissa, trancha, sépara, jeta... Hélène baissa la manette qui commande la force motrice (pas de femme de Bionnas, sauf peut-être Marie-Jeanne, qui ne connaisse la manoeuvre d'une presse à injecter).

Vocabulaire précis, technique:
la manette, la force motrice.
Temps: présent, passé simple
Modes: indicatif, subjonctif
(dans une subordonnée relative)

Il ne faut pas confondre langue orale et registre familier. On retrouve tous les registres - familier, courant, soutenu, dans la langue orale, selon la situation de communication (discours, interview, conversation familière, etc), et dans la langue écrite également.

Atelier 5 section contrôle

Maintenant, vérifiez si vous avez bien compris ces points clés de la grammaire . . .

Activité 1 phrases simples
Ajoutez un adverbe ou un adjectif aux phrases suivantes:

a C'est un roman.
b Le héros est un aristocrate.
c Il connaissait des paysans.
d Ils vivaient à la campagne.
e La révolution eut lieu en octobre.
f Les adultes ont lutté

Activité 2 phrases simples → phrases composées
Transformez les couples de phrases simples en phrases composées en employant une conjonction (*mais, et, or, car, ou, ni, donc*)

a C'est un roman sans violence. Il s'agit de la guerre.
b La vie y paraît triste. Les personnages souffrent.
c Le livre est un best-seller. L'auteur est riche.
d Cendrillon avait deux sœurs. Ses sœurs la détestaient.

Activité 3
Suivant le modèle de l'exercice précédent, créez des couples de phrases simples puis transformez-les (ou demandez à un partenaire de les transformer) en phrases composées en employant une conjonction.

Activité 4
Transformez les couples de phrases simples en phrases complexes en employant un subordonnée relative introduite par *qui, où* ou *dont:*

a L'héroïne fuit son village. Elle vit dans le village. *(où)*
b Elle adorait son grand-père. Il vivait tout près. *(qui)*
c Elle écrit la saga d'une famille. La tragédie de la famille commence en1920. *(dont)*

Activité 5 principales et subordonnées
Distinguez la proposition principale des propositions subordonnées:
ex: *Je vous aime* (principale) *parce que vous êtes adorable.* (subordonnée)

a Je vous conseille d'aller en Normandie parce que vous y trouverez des pommes, des huîtres, des poissons et de la crème.
b Comme il y a un grand choix de fromages au marché de Honfleur, ce n'est pas la peine d'aller au supermarché.
c A Honfleur il se trouve un excellent hôtel qui s'appelle l'Ecrin.
d Je me suis souvent demandé si l'accueil des Bretons était plus chaleureux que celui des Normands.

Activité 6 la fonction sujet
Dans les phrases suivantes, repérez le sujet:

a Les fromages sont vendus au marché.
b A trois kilomètres de Pont l'Evêque, en bas de la grand-rue, dans leur hôtel du dix–septième siècle, Jacques et Yvonne Burin vous réservent un accueil sincère.
c Le petit déjeuner est compris.
d C'est au musée Eugène-Boudin que vous pourrez voir les oeuvres du peintre.

Donc, si je comprends bien, madame, la grammaire est un ensemble de règles qui tente de décrire le fonctionnement de la langue. L'élément de base est la proposition, et le verbe est le moteur de la proposition...c'est ça?

Oui, mais n'oublie pas qu'il y a des règles différentes pour la langue parlée et la langue écrite.

Donc, on pourrait dire qu'il y a deux grammaires?

Oui, effectivement. Et puis on a un choix de mots ou de paroles selon les circonstances...

Le registre?

Justement. Tiens, Roland. Tu veux du chocolat?

Du chocolat? Non merci, madame. J'en ai déjà vu assez pour une journée!

Activité 7

La fonction sujet et la fonction complément d'objet direct [COD] et indirect [COI].

Dans les phrases suivantes, ou le sujet ou le complément d'objet est en italiques. Ecrivez «complément» ou «sujet», selon le cas.

a *Manuel* me téléphone.
b Il m'a écrit *des lettres.*
c Paul ne *m'*a toujours pas écrit.
d Je n'ai jamais vu *un homme* aussi macho.
e C'est Olivier, mon frère que *j'*aime.
f Paul déteste *écrire.*
g *Ecrire* des lettres l'énerve.

Activité 8 COD et COI

Dans les phrases suivantes, relevez les COI:
a Quand mon frère joue du piano, il m'énerve.
b Quand il sort, il met sa casquette.
c Il ressemble à mon arrière-grand-père.
d Il ne m'amuse pas toujours.
e J'ai offert des fraises à mon frère.
f Papa nous a téléphoné.

Activité 9 le verbe

Dans le passage suivant, tiré du livre d'Annie Ernaux, *Passion Simple,* certains verbes sont en italiques. En suivant l'exemple indiquez leur infinitif, leur groupe, leur personne, leur temps, leur mode et leur voix.

Ex: *dire*, verbe du troisième groupe, *avait dit*, troisième personne du singulier, plus-que-parfait, indicatif; voix: active.

Il m'*avait dit* «tu n'*écriras* pas un livre sur moi». Mais je n'*ai* pas *écrit* un livre sur lui, ni même sur moi, j'ai seulement rendu en mots – qu'il ne *lira* sans doute pas, qui ne lui *sont* pas *destinés* – ce que son existence, par elle seule, m'*a apporté*. Une sorte de don renversé. Quand j'*étais* enfant, le luxe, c'était pour moi les manteaux de fourrure, les robes longues et les villas au bord de la mer. Plus tard, j'*ai cru* que c'était de mener une vie d'intellectuel. Il me *semble* maintenant que c'est aussi de pouvoir vivre une passion pour un homme ou une femme.

Activité 10

Dégagez les différents aspects de langue et de registre dans ces deux extraits.

a

> Des grévistes appartenant à toutes les catégories socioprofessionnelles guyanaises ont défilé, en présence de plusieurs partis politiques de responsables du patronat, d'artisans et de travailleurs indépendants, pour protester contre la crise économique qui sévit dans le département depuis plus d'un an et qui a été plusieurs fois évoquée à Paris par les élus locaux.

Le Monde

b

> Alors vous savez..l'monde...ben vous savez i's ont poussé, i's ont cassé la barrière, les grilles de la Préfecture, i's ont cassé ça comme des allumettes! Et puis tout l'monde pousse, tout l'monde pousse, et puis... voilà qu'on entre; moi j'avais jamais été à la Préfecture... je savais pas qui c'était le Préfet, et puis il était dans une porte derrière nous.

Antimanuel de français I.N.A.

Vocabulaire de la grammaire

accord (agreement) correspondance entre les formes des mots; le verbe s'accorde avec le sujet: ***Ils** sont allés au marché.*

actif, la voix active (active voice) le sujet agit: *Agrippine **invite** son copain.*

adjectif (adjective: also, demonstrative, possessive, interrogative)
adjectif qualificatif: précise la qualité d'un nom ou d'un pronom: *Ce chocolat est bon; il est **excellent**.*
adjectif démonstratif: *ce, cet, cette, ces.* Cet adjectif nous indique la personne ou la chose dont il s'agit: *Je préfère **ce** chocolat-ci.*
adjectif possessif: celui qui exprime la possession: *C'est **ma** boîte de chocolats.*
adjectif interrogatif: *quel, quelle, quels, quelles.* Cet adjectif s'emploie pour interroger: ***Quel** chocolat préfères-tu?*

adverbe (adverb) mot qui qualifie un verbe, un adjectif ou un adverbe: ***Malheureusement**, je mangeais **souvent** les chocolats.*

affirmatif (affirmative) la forme affirmative est le contraire de la forme négative: ***Tu aides** ta mère.* (Forme négative: ***Tu n'aides pas*** ta mere.)

antécédent (antecedent) Nom ou groupe nominal qui est repris par le pronom relatif: *Voilà **les romans policiers** dont je te parlais.*

apposition (apposition) deux termes juxtaposés sans lien. *Le dictionnaire, livre essentiel.*

article (article: definite, indefinite, partitive) déterminant placé devant le nom pour préciser de quelle chose on parle; il indique, généralement, son genre et son nom.
article défini: *le, la, l', les.*
article indéfini: *un, une, des.*
article partitif: *du, de la, des, de.*

auxiliaire (auxiliary (verb)) les verbes *être* et *avoir* peuvent être des auxiliaires, faisant partie des temps composés: *Je **suis** allé au marché et j'**ai** acheté ...*

cardinal (cardinal) les nombres cardinaux expriment la quantité: *quatre*; les nombres ordinaux expriment le rang d'un élément dans un ensemble: *quatrième.*

comparatif (comparative) marque le degré d'un adjectif: ***plus** chaud, **moins** chaud, **aussi** chaud.*

complément (direct or indirect object)
le complément direct du verbe complète le sens du verbe sans l'intermédiaire d'un autre mot: *Je mange **les chocolats**.*
le complément indirect du verbe est joint au verbe par une préposition: *Je pense **aux chocolats**.*

concordance des temps (sequence of tenses) le rapport entre le temps et la subordonnée et le temps de la principale:
si tu m'invites (présent) je viens/je viendrai (présent/futur);
si tu m'invitais (imparfait) je viendrais (conditionnel présent);
si tu m'avais invité (plus-que-parfait) je serais venu (conditionnel passé).

conditionnel (conditional mood) le mode conditionnel exprime un état ou une action qui dépend d'une condition. *Je **serais** content si elle me donnait une bonne note.* Le bonheur dépend de la note.

conjonction (conjunction)
conjonction de coordination: mot qui relie des éléments de même fonction comme *mais, ou, et, donc, or, ni, car: Les enfants crient **et** jouent.*
conjonction de subordination (subordinating conjunction) Ces conjonctions, comme *que, si, quand, lorsque, avant que* ... relient les propositions subordonnées à la principale. *J'attendais depuis dix minutes **quand** tu m'as appelé.*

conjugaison (conjugation) conjuguer le verbe, c'est le modifier selon le nombre, la personne, etc.

déterminant (determiner) mot précisant le sens d'un autre mot: **les** chocolats, **mes** chocolats, **ces** chocolats, **des** chocolats...

expression/locution adverbiale (adverbial phrase) groupe de mots, équivalent à un adverbe: *J'ai **tout de suite*** ouvert la boîte.

expression/locution verbale (verbale idiom) groupe de mots équivalent à un verbe: *avoir faim.*

forme forte voir **pronoms**

genre (gender) il y a, en français, deux genres: le masculin et le féminin.

gérondif (gerundive) participe présent, généralement précédé de la préposition, *en: En **mangeant** les chocolats j'ai gagné deux kilos.*

groupe (group (of verbs, e.g. *er* verbs)) *voir* page **16**.

imparfait (imperfect tense) temps du passé pour décrire un état, pour exprimer une action inachevée ou habituelle. *Un dimanche j'**étais** dans ma chambre; je **lisais** car, le dimanche, je ne **travaillais** jamais. Soudain, Mathieu a crié du salon...*

impératif (imperative) mode grammatical exprimant le commandement: ***Mange** ta soupe.*

impersonnel (impersonal (verbs)) les verbes impersonnels ne s'emploient qu'à la troisième personne du singulier: *Il pleut.*

indicatif (indicative) mode grammatical exprimant la réalité: *Il mange sa soupe.*

infinitif (infinitive) l'infinitif du verbe indique à quel groupe il appartient: *manger* (premier groupe), *finir* (deuxième groupe).

intransitif (intransitive) verbe n'admettant pas de complément d'objet: *Elle **part**.*

inversion (inversion) déplacement d'un mot ou d'un groupe de mots par rapport à l'ordre habituel de la construction: *Elle a mangé les chocolats. **A-t-elle** mangé les chocolats. Il les achètera peut-être. Peut-être les **achètera-t-il**.*

locution prépositive (prepositional phrase) groupe de mots ayant la même fonction qu'une préposition: *au milieu de.*

mode (mood) le conditionnel (*je ferais*), l'impératif (*fais!*), l'indicatif (*je fais*), le subjonctif (*que je fasse*). La manière dont le verbe exprime l'état ou l'action.

négative (negative) la forme négative est le contraire de la forme affirmative: *Nous sommes anglais. Nous **ne sommes pas** anglais.*

niveau de langue, registre (register) dont le familier (colloquial), le courant (standard) et le soutenu (literary). La prononciation, la grammaire, le vocabulaire que nous choisissons en fonction des circonstances, de la situation, du message que nous communiquons.

nom (substantif) (noun, substantive) mot qui sert à nommer une personne, un animal, une chose
nom commun (common noun): *homme, femme, personne,* etc.
nom propre (proper noun): le nom d'une personne, d'un lieu: ***Olivier** vient de **Nantes**.*

nombre (number) le singulier et le pluriel; un nom est au singulier quand il ne représente qu'une seule personne ou une seule chose: *un livre, la femme*. Un nom est au pluriel quand il représente plus d'une chose ou plus d'une personne: *des livres, les femmes*.

objet *voir* **complément**

ordinal *voir* **cardinal**

participe (participle) mode ayant deux temps.
le présent: *Il ne faut pas parler en **mangeant**.*
le passé: *Je n'ai pas **mangé**.*

passé composé (perfect tense) un temps du passé qui raconte des évènements accomplis à un moment du passé: *Pendant son séjour à Paris la reine **a vu** le président.*

passé simple (past historic tense) un temps du passé employé surtout à l'écrit. *Pendant son séjour à Paris, la reine **vit** le président.*

passif, la voix passive (passive voice) le sujet subit l'action: *Agrippine **est invitée** par ses copains.*

personne (person) Il y a trois personnes du verbe: première (je, nous), deuxième (tu, vous), troisième (il, elle, on, ils, elles).

phrase (sentence) groupe de mots ayant un sens, commençant par une majuscule et se terminant par un point.

plus-que-parfait (pluperfect) temps du passé exprimant une action antérieure à une autre action de passé. *Ma voisine a voulu acheter notre voiture mais nous l'**avions** déjà **vendue**.*

ponctuation (punctuation) la virgule(,), le point(.), le point-virgule(;), les deux points(:), le point d'interrogation(?), le point d'exclamation(!), entre parenthèses((...)).

préposition (preposition) mot qui introduit un mot ou un groupe de mots comme ***à, de, par, pour, sur, en, avec, avant, après, devant, sans:*** *Mon pupitre est **devant** celui de Farah.*

principale (main clause) *voir* **proposition**

pronom (pronoun (personal, demonstrative, possessive, relative)) tout mot qui tient la place d'un nom: *Mes fils adorent les chocolats. **Ils les** aiment.*
pronom personnel: celui qui indique la personne (première, deuxième, troisième): ***Nous les** mangeons.*
pronom démonstratif: celui qui remplace le nom en indiquant de quelle chose il s'agit: *Elle choisit ces chocolats. **Ceux-ci** ou **ceux-là**?*
pronom possessif: celui qui tient la place d'un nom en y ajoutant une idée de possession: *Ma mère m'a proposé sa veste mais je préfère **la mienne**.*
pronom relatif: celui qui lie une partie de la phrase au nom ou au pronom qui précède, c'est-à-dire à l'antécédent: *Les livres* [antécédent] ***que*** [pronom relatif] *j'ai achetés.*
pronom forme forte (disjunctive or emphatic pronouns) celui qui insiste ou renforce ***Moi**, je ne comprends pas.*
pronom pronominal (reflexive pronoun) obligatoires en plus du pronom sujet quand nous employons un verbe pronominal: *je **me** lève, elles **se** sont rencontrées.*
pronom interrogatif (interrogative pronoun) celui qui interroge: *qui, que, quoi.*

proposition (clause (main, subordinate)) un groupe de mots qui contient un verbe.
proposition indépendante: celle qui a un sens complet par elle-même: *J'aime le chocolat.*
proposition principale (la principale): celle dont le sens est complété par une ou plusieurs subordonnées: *J'aime le chocolat qui est fourré de caramel.*
proposition subordonnée (la subordonnée): la subordonnée dépend de la principale.

radical du verbe (stem) la partie fixe du verbe: ***parl**ons.*

subjonctif (subjunctive) mode employé pour exprimer le doute ou nos sentiments envers les choses.

subordonnée (subordinate clause) *voir* **proposition.**

substantif *voir* **nom.**

sujet (subject) le sujet fait l'action exprimée par le verbe: *Vous [sujet] lisez [verbe] cette liste.*

superlatif (superlative) marque le degré le plus élevé d'un adjectif: *La route **la plus rapide**.*

temps (tense) Il y a trois temps.
le présent: exprime une action qui a lieu au moment où l'on parle.
le passé: exprime une action qui a déjà eu lieu.
le futur: exprime une action qui aura lieu à l'avenir.
Hier j'ai trop mangé; aujourd'hui je ne mange presque rien; demain je mangerai à ma faim.

terminaison du verbe (ending) la partie variable du verbe: *parl**ons**.*

transitif (transitive) verbe admettant un complément d'objet direct: *Elle n'a pas **acheté** la voiture.*

verbe (verb) le verbe exprime une action ou un état: *Je **pense** donc je **suis**.*

verbe pronominal (reflexive verb) verbe qui est précédé par un pronom personnel réfléchi: *Elles **se sont levées**.*

voix (voice, active and passive) aspect de l'action verbale dans ses rapports avec le sujet. Avec la *voix active* le sujet accomplit l'action: *Les bandes dessinées **amusent** les enfants.* La voix passive indique que le sujet subit l'action: *Les bandes dessinées **sont lues** par les enfants.*

Référence et pratique

à exprimant une caractéristique

à can express **with**, e.g., *la fille aux cheveux de lin* (the girl with flaxen hair).

à *exprimant une caractéristique:* à *suivi de l'article défini:* à la, à l', au, aux

Le magazine *Elle* a demandé aux lecteurs de juger entre des portraits de femmes de Modigliani. Voici illustré le portrait d'une femme qui porte un collier, *La femme au collier rouge*, et celui d'une femme qui porte un éventail, *La femme à l'éventail.*

A gauche:
La femme au collier rouge

A droite:
La femme à l'éventail

Activité 1

Exprimez de la même façon le titre des portraits suivants:

1 La femme qui porte des boucles d'oreilles.
2 L'enfant qui a les cheveux longs.
3 La femme qui porte une robe verte.
4 L'homme qui a les yeux bleus.
5 La fille qui a les cheveux noirs.
6 L'homme qui fume une pipe.
7 La femme qui porte un chapeau de paille.

Activité 2

- Regardez ce poème de Prévert. Vous y en verrez d'autres exemples.

Essayez d'écrire un poème comme celui-ci.

POUR TOI MON AMOUR

Je suis allé au marché aux oiseaux
Et j'ai acheté des oiseaux
Pour toi
mon amour
Je suis allé au marché aux fleurs
Et j'ai acheté des fleurs
Pour toi
mon amour
Je suis allé au marché de la ferraille
Et j'ai acheté des chaînes
De lourdes chaînes
Pour toi
mon amour
Et puis je suis allé au marché aux esclaves
Et je t'ai cherchée
Mais je ne t'ai pas trouvée
mon amour.

la feraille scrap iron
le marché aux esclaves slave market

à préposition

- Dans la dédicace du poème, *A l'échelle humaine* de Paul Eluard nous voyons *à* préposition et *a* troisième personne au singulier du verbe *avoir*.

A l'échelle humaine

à la mémoire du colonel Fabien et à Laurent Casanova qui m'a si bien parlé de lui

il dédicace son poème
à la mémoire du colonel (to the memory of) — préposition à
et *à Laurent...qui m'a parlé...* (to Laurent...who has spoken...) — verbe a

La préposition à

- Dans cet extrait d'un article de Claude Sarraute tiré du *Monde*, nous voyons plusieurs exemples de la préposition *à*.

Elle n'aime pas la nouvelle mode. Trouvant que les jupes sont trop courtes et le tissu trop transparent, elle croit que les femmes qui portent ces vêtements deviennent «femmes-objets» et invitent le harcèlement sexuel.

(NB Attention de ne pas confondre *à* préposition avec *a* du verbe avoir)

La préposition à (on, in, at, to)

à la télé (on television)

d'autres exemples: *à* Paris, *à l'*école, *à* midi

à la, à l', au, aux

aux mains baladeuses (to the wandering hands)
Au lieu de *à le*, on écrit ***au.***
Au lieu de *à les*, on écrit ***aux.***

d'autres exemples: ***au*** *lycée,* ***aux*** *États-Unis.*

la possession

la faute *à* qui? (whose fault?)
à moi, à toi, à elle, à lui, à nous, à vous, à eux, à elles (mine, yours, hers, his, ours, yours, theirs (m.), theirs (f.))

l'utilisation

le prêt-à-porter (off the peg fashion)

un autre exemple: *une machine à écrire*

la caractéristique

un four à micro-ondes (a micro-wave oven)

Activité 1

Complétez ces paragraphes tirés du même article. Vous employerez ***a, à, à la, au,*** ou ***aux:***

Je vous entends d'ici: Ouais, c'est parce que t'es trop vieille pour te fringuer jeune que tu joues les féministes aigries. Alors là, je vous arrête tout de suite. D'abord il n'y ____[1] aucune raison pour que le prêt -____[2]-porter me soit interdit. C'est de l'âgisme.

Et on s'étonne, après ça, de voir si peu de nanas, ____[3] Chambre, ____[4] gouvernement, et ____[5] Sénat! Et on se plaint, après ça de voir des filles ____[6] poil nous vendre un ticket de tiercé, un transistor ou un four ____[7] micro-ondes.

à préposition meaning
to, in: ***à*** *Paris*
at: ***à la*** *gare*
on: ***à la*** *télé*
from: *je l'ai emprunté à ma soeur* (I borrowed it from my sister)

à l', au, à la, aux
je vais: ***au*** théâtre (m.s.), ***à la*** tour Eiffel (f.s.), ***à l'***Opéra (m.s.), ***à l'***église (f.s.), ***aux*** musées (m.pl.), aux expositions (f.pl.)

a third person singular of avoir e.g. *Elle a téléphoné.*

Le Prêt-à-Porter Importable

VOUS avez vu un peu à la télé, le défilé des collections printemps-été? A tomber par terre, non? Rien que du court, du nu, du transparent.

Ah! elle est belle, la femme libérée! Femme-gadget, femme-robot, femme-objet, oui, offerte aux mains baladeuses de ses collègues de bureau. Le harcèlement sexuel, la faute à qui, en l'occurrence, hein?

le prêt-à-porter off the peg fashion
importable unwearable
la collection fashion collection
les mains baladeuses (f) wandering hands
le harcèlement sexuel sexual harassment

Ouais! (fam.) se dit pour oui
se fringuer (pop.) to dress
aigri embittered
la nana (pop.) girl, woman
la Chambre parliament
à poil (fam.) naked
le ticket de tiercé betting slip for racing
le four à micro-ondes microwave oven

verbes + à + complément

Verbs followed by à

1 Verbs taking an indirect object: e.g. *obéir à, parler à, plaire à, répondre à, nuire à* (to harm), *résister à, ressembler à, téléphoner à.*

When the indirect object is a pronoun these verbs are preceded by *me, te, lui, nous, vous, leur,* y, e.g. *La mode **lui** déplaît.*

Lisez l'article de Claude Sarraute qui se trouve à la page précédente, et puis notez ces exemples des verbes suivis par *à* et par un complément:

Exemples: *Ils ont offert **à** Claude Sarraute des robes importables. Ils **lui** ont offert des robes importables.*

Claude Sarraute est ***le complément indirect*** du verbe. Le pronom *lui* remplace *à Claude Sarraute* et est placé avant le verbe. Si le pronom remplace un objet nous employons ***y***.

Exemple: *Je pense à la grammaire.*
J'y pense.

	singulier	pluriel	
1er personne	me	nous	
2e personne	te	vous	y
3e personne	lui	leur	

Activité 1
Remplacez les mots en italiques par un pronom:

1 J'ai offert une robe *à ma fille.*
2 J'ai téléphoné *à mes amies* pour parler des collections.
3 Elles ont écrit *à Claude Sarraute.*
4 Ses collègues ont dit *à Claude et à moi* qu'ils aimaient la nouvelle mode.
5 Claude a répondu *à ses collègues.*
6 Elle a envoyé une lettre *au journal.*

2 Some verbs whose meaning involves motion or direction of thoughts: e.g. *aller à, penser à.*

These verbs are followed by a disjunctive pronoun, *moi, toi, soi, nous, vous, elles, eux.*

Compare: *Elle montre la robe à sa fille. Elle **lui** montre la robe. Elle pense à sa fille. Elle pense à elle.*

Les verbes suivis de à moi, à toi...

Certains verbes, dont les plus importants sont *penser à, songer à, faire attention à,* et les verbes pronominaux comme *s'attaquer à, s'habituer à, s'intéresser à, s'opposer à* sont suivis des formes *à moi, à toi...* au lieu d'être précédés par les pronoms *me, te, lui...*

Si le pronom remplace un objet nous employons *y.*

Ex: *Je pense **à mes collègues** du bureau.*
*Je pense **à eux.***
*Je pense **à la mode.***
J'y pense.

singulier		pluriel	
1er p.	moi	1er p.	nous
2e p.	toi	2e p.	vous
3e p.	lui, elle, soi	3e p.	eux, elles

Activité 2
Remplacez les mots en italiques par un pronom:

1 Claude Sarraute songe *au sexisme.*
2 Il faut faire attention *aux collègues.*
3 Il ne faut pas faire attention *aux diktats de la mode.*
4 Nous nous opposons *à ce journaliste.*
5 Mais je m'intéresse *à la mode.*

Voir aussi pages 80, 81 (lui ou l'); 111, 112 (pronoms personnels)

accent: ´ ` ^ ¨ ç

Accents can change the sound of a letter: in *marche*, the ***e*** is mute but in *marché*, the ***é*** sounds like the *e* in *et*.

Accents can also help us distinguish in writing between words which sound the same but have different meanings: **où** (*where*); **ou** (*or*).

Accents are not needed on capital letters.

L'accent peut changer le sens d'un mot et le son d'une lettre. Il n'est pas nécessaire de mettre un accent sur la majuscule.

´ L'accent aigu s'entend toujours et ressemble plutôt au son du *ey* dans le mot *hey [you]!* (lorsqu'on parle avec un accent écossais) qu'au son *a* dans le mot anglais *baby*: *Cet été j'ai bronzé.*

` L'accent grave sur le *e* donne le même son que celui de la première lettre *e* dans le mot *elle*. Sur le *a* et le *u*, l'accent grave ne s'entend jamais mais nous aide à distinguer entre les mots:

à (to) et *a* (has): *Il a du travail à faire.*
où (where) et *ou* (or): *On va où? Au cinéma ou au café?*

^ L'accent circonflexe sur le *e* donne le même son que è: *fête, fève*. Il allonge le *o* et le *a*: le *ô* dans *nôtre* est prononcé comme le deuxième *o* du mot *chocolat* et la voyelle *a* de *pâté* est plus longue que celle de *patte*.

L'accent circonflexe marque quelquefois la disparition d'un *s* ancien. Souvent il y a un *s* dans l'équivalent en anglais.

Activité 1
Ajoutez l'équivalent anglais aux mots suivants et puis proposez-en d'autres exemples:

Exemple: *château* → castle

1 fête → ___ **2** île → ___ **3** pâté → ___ **4** côte → ___ **5** mât → ___

¨ Le tréma sépare le son de deux voyelles: *naïf.*

¸ La cédille sur *c* permet le son *ss* devant *a, o, u*: *commençons les devoirs, les garçons.*

Activité 2
Ajoutez les accents:

Le ministre delegue a la francophonie, M. Alain Decaux a rappele que l'Academie francaise* avait change la graphie d' un mot sur quatre dans son dictionnaire de 1740. Aujourd'hui il ne s'agit que de «petits ajustements a cote d'une revolution», a-t-il declare. Les rectifications applicables en octobre 1991 paraitront au Bulletin officiel de l'Education nationale a la rentree prochaine… La reforme de l'orthographe pose aux editeurs de dictionnaires «un probleme couteux et grave».

* L'Académie française fut fondée en 1635 par Richelieu, et chargée de la rédaction du Dictionnaire.

accord: adjectifs 1

An adjective agrees with the noun or pronoun it describes in number and gender. Usually an *e* is added to form the feminine version and an *s* denotes the plural.

e.g. *un film intéressant* (m.s.)
une idée intéressante (f.s.)
des films intéressants (m.pl.)
des idées intéressantes (f.pl.)

Un adjectif s'accorde en genre et en nombre avec le nom qu'il qualifie. Très souvent l'adjectif féminin se termine par *e* et le pluriel par *s*.

A gauche: César Soubeyran (le Papet)
A droite: Jean de Florette

Voir aussi pages 35–8 (adjectifs)

- Lisez cette description de César Soubeyran, tirée de *Jean de Florette* de Marcel Pagnol:

> César Soubeyran approchait de la soixantaine. Ses *cheveux, rudes et drus*, étaient d'un *blanc jaunâtre strié* de *quelques fils roux*. Il habitait la *grande vieille maison* des Soubeyran...

rude rough
dru thick
jaunâtre yellowish
strié streaked
roux reddish-brown

cheveux: nom masculin pluriel qualifié par deux adjectifs, *rudes* et *drus*
blanc: nom masculin singulier, qualifié par deux adjectifs, *jaunâtre* et *strié* (participe passé employé comme adjectif)
fils: nom masculin pluriel qualifié par deux adjectifs, *quelques* et *roux* (roux se termine au singulier et au pluriel en x)
maison: nom féminin singulier qualifié par deux adjectifs, *grande* et *vieille*.

Activité 1

Lisez la description ci-dessous de la maison de Jean de Florette et puis ajoutez-y les adjectifs suivants en regardant bien le tableau pour faire l'accord entre les adjectifs et les noms: **1** couvert **2** neuf **3** blanc **4** pourri **5** jeune **6** rouge **7** noir **8** verdoyant **9** rénové.

ex: 1 couvert*e*.

Le 30 mars, le toit de la maison était parfaitement réparé, la remise était ___[1] de tuiles ___[2], les portes et les fenêtres fermaient presque exactement, et il ne manquait pas une vitre. La façade assez rustiquement recrépie à la chaux brillait toute ___[3] au soleil. Enfin, il avait remplacé les poteaux ___[4] de la treille par des troncs de ___[5] pins, à l'écorce ___[6] et ___[7], et les pampres formaient maintenant un plafond ___[8] sur la terrasse ___[9].

		singulier	pluriel		singulier	pluriel
1	m.	couvert	couvert*s*	f.	couvert*e*	couvert*es*
2		neuf	neuf*s*		neu*ve*	neu*ves*
3		blanc	blanc*s*		blanc*he*	blanc*hes*
4		pourri	pourri*s*		pourri*e*	pourri*es*
5		jeune	jeune*s*		jeune	jeune*s*
6		rouge	rouge*s*		rouge	rouge*s*
7		noir	noir*s*		noir*e*	noir*es*
8		verdoyant	verdoyant*s*		verdoyant*e*	verdoyant*es*
9		rénové	rénové*s*		rénové*e*	rénové*es*

pourri rotten
verdoyant verdant
rénové renovated
la remise shelter
la tuile tile
la vitre pane of glass
recrépi à la chaux whitewashed and replastered
le poteau post
la treille trellis with vines
l'écorce (f) bark
le pampre vine branch
le plafond ceiling

accord: adjectifs 2

en meublé in furnished rooms

● Les extraits suivants sont tirés de *Maigret en meublé* de Georges Simenon. Les adjectifs, entre parenthèses, sont au masculin singulier.

Activité 2

En faisant attention aux accords, changez la terminaison des adjectifs là où vous le jugez nécessaire.

a *Mme Maigret étant absente, le commissaire dîne en ville.*

Ils s'étaient quittés au Châtelet, Lucas et lui, Lucas dégringolant l'escalier du métro, Maigret restant debout, [indécis], au milieu du trottoir. Le ciel était [rose]. Les rues paraissaient [rose]. C'était un des [premier] soirs à sentir le printemps, et il y avait des gens à [tout] les terrasses.

Qu'avait-il envie de manger? Parce qu'il était [seul], qu'il pouvait aller n'importe où, il se posait gravement la question, pensait aux [différent] restaurants [capable] de le tenter. A une vitrine d'une charcuterie, il vit des escargots [préparé], débordant d'un beurre [persillé].

persillé mixed with chopped parsley

b *L'Hôtel meublé.*

Vous écrivez, jaune, pâle.
(Il n'y a pas d'accord.)
On écrit aussi:
– les yeux bleu pâle.
– les yeux châtain foncé.

C'était une [curieux] maison, qui n'entrait exactement dans [aucun] catégorie de meublés. Bien que [vieux], elle était d'une propreté [étonnant], et surtout elle respirait la gaieté. Les papiers [peint], partout, y compris dans l'escalier, étaient [clair], [jaune pâle] pour la plupart, avec des fleurettes, sans rien de [vieillot] ou de [conventionnel]. Les boiseries [poli] par le temps, avaient des reflets [tremblotant] et les marches, sans tapis, sentaient bon la cire.

Les chambres étaient plus [grand] que dans la plupart des hôtels [meublé]. Elles rappelaient plutôt les [bon] auberges de province, et presque [tout] les meubles étaient [ancien], les armoires [haut] et [profond], les commodes [ventru].

Mlle Clément avait eu l'attention [imprévu] de mettre quelques fleurs dans un vase au milieu de la table [rond], des fleurs sans prétention, qu'elle avait dû acheter à une [petit] charrette en faisant son marché.

le papier peint wallpaper
la fleurette little flower
vieillot old fashioned
la cire wax, polish
ventru bow-fronted
la charrette stall, barrow

c *Maigret rend visite à Mme Boursicault.*

— Je suis confus de vous déranger, Madame Boursicault… Il ne s'etait pas trompé. On avait mis des draps [propre] et changé de chemise de nuit la malade. Mme Keller l'avait même coiffée. Les cheveux [brun] mêlés de gris, portaient encore la trace du peigne.

Elle était [assis] dans son lit et, d'une main [osseux], elle lui désignait un fauteuil à son chevet.

osseux bony
le chevet bedside

accord: verbes 1

With verbs taking the auxiliary verb ***être*** there is agreement between the subject and the past participle: *Manon, la fille de Jean de Florette, est allée au village.* Manon is feminine; we add an ***e*** to *allé.*

With verbs taking the verb ***avoir*** there is agreement between the preceding direct object and the past participle: *la lettre que j'ai lue.*

Participe passé

Le verbe se conjuguant avec être

Il y a accord entre le sujet et le participe passé.

Exemple: *Manon, la fille de Jean de Florette, est allée dans les collines.*

accord avec le sujet Manon.

Activité 1

Accordez les participes passés:

Manon, sa mère et son père sont descend_[1] au village. Manon était part_[2] de la maison vêtue d'une jolie robe. Ils étaient tous très tristes quand ils sont retourn_[3].

Le verbe se conjuguant avec avoir

Il y a accord entre le participe passé d'un verbe et son complément d'objet si le complément est *direct* et non indirect et si ce complément d'objet direct est placé *avant* le participe.

- Regardez les exemples dans cet extrait tiré de *Manon des sources* de Marcel Pagnol: La vieille Delphine parle avec César Soubeyran. Elle lui reproche de ne pas avoir répondu à une lettre. César répond:

> Delphine, je te jure devant Dieu que cette lettre je ne l'ai jamais reçue... parce qu'une lettre d'elle, je ne l'aurais pas oubliée. Et si tu veux savoir la vérité que je n'ai jamais dite à personne...

accord avec le complément direct placé avant le participe passé

Activité 2

Accordez les participes passés:

Ugolin a regard_[1] Manon dans les collines. Quand il l'a v_[2] il est tomb_[3] amoureux d'elle. Il l'a suiv_[4] et il lui a parl_[5] de son amour. Elle ne lui a pas répond_[6].

With reflexive verbs there is agreement between the reflexive pronoun and the past participle unless the reflexive pronoun is indirect: *Manon s'est vengée sur les paysans* or *Manon et l'instituteur se sont mariés* but *Manon s'est demandé pourquoi César regardait sa maison.* There is no agreement here since the verb *demander* takes *à* so the reflexive pronoun *se* means *to herself*, not *herself*.

Les verbes pronominaux

Il y a accord entre le participe passé et le complément direct, placé avant le participe passé; le complément direct est, très souvent, le pronom réfléchi.

Exemple:

1 Accord: *Comment est-ce possible que cette lettre se soit perdue?* (se = le complément direct)

2 Pas d'accord: *César et la jeune femme se sont écrit des lettres.* (se = le complément *indirect*, lettres = le complément direct mais est placé *après* le participe passé)

Activité 3

Accordez les participes passés:

Ugolin et Manon se sont regard_[1] mais ils ne se sont pas embrass_[2]. Ils ne se sont jamais écrit_[3] mais comme César et Florette, ils se sont parl_[4].

Activité 4

Complétez le paragraphe suivant en ajoutant le participe passé des verbes et en faisant attention à l'accord:

La lettre que Florette a ____ [écrire] s'est ____ [perdre]. César et Delphine se sont ____ [parler] et Delphine lui a ____ [expliquer] l'histoire. Florette avait ____ [écrire] la lettre mais César ne l'avait pas ____ [recevoir]. Elle ne lui a plus ____ [écrire] et il ne l'a jamais ____ [revoir].

accord: verbes 2

mettre au courant to tell someone all about it

la charrette stall, barrow

Activité 5

● Dans les extraits suivants, tirés de *Maigret en meublé* de Georges Simenon, les terminaisons des participes passés sont supprimés. Ajoutez-les en faisant attention aux accords:

a *Mlle Isabelle parle au commissaire.*

> Le matin, j'ai l'habitude de manger un croissant dans un bar de la rue Gay-Lussac avant de prendre mon métro. Un jour, j'ai remarqu__[1] un jeune homme qui buvait son café au même comptoir et qui me regardait fixement… Quand je suis sort__[2] il m'a suiv__[3]. Puis j'ai entend__[4] ses pas plus pressés. J'ai v__[5] son ombre qui me dépassait, il est arrivé à ma hauteur et m'a demand__[6] s'il pouvait m'accompagner.

b *Maigret interroge Mme Boursicault.*

> «Qu'est-ce que vous avez v__[1]?
> – Plusieurs personnes entouraient le corps. Il en arrivait d'autres.
> – Vous êtes rest__[2] longtemps à la fenêtre?
> – Jusqu'à l'arrivée d'un car de police.
> – En somme vous n'avez rien v__[3] ni entend__[4] qui puisse m'aider dans mon enquête?
> – Je le regrette, monsieur le commissaire. Mme Keller est mont__[5] un peu plus tard pour me mettre au courant. Je ne lui ai pas avou__[6] que j'étais all__[7] à la fenêtre, car elle m'aurait grond__[8].

c *Mme Keller est fâchée et se plaint auprès de Maigret.*

> «Qu'est-ce que vous lui avez dit?
> – Je l'ai trouv__[1] sur son lit comme une morte… elle avait les yeux fermés. Elle pleurait…
> – Elle ne vous a pas parl__[2]?
> – Elle s'est content__[3] de secouer la tête quand je lui ai demand__[4] si elle avait besoin de rien. J'ai ferm__[5] la fenêtre et j'ai éteint.

d *Lucas raconte au commissaire comment il a suivi la concierge.*

> «J'ai suiv__[1] la concierge comme vous m'en avez donn__[2] la consigne. Elle s'est rend __[3] rue Mouffetard et je ne l'ai pas quitt__[4] des yeux. Elle s'est arrêt__[5] à plusieurs petites charrettes. Je me suis approch__[6] suffisamment pour entendre ce qu'elle disait. Elle s'est content__[7] d'acheter des légumes et des fruits. Puis elle est entr__[8] dans une boucherie.
> – Personne ne s'est approch__[9] d'elle?
> – Je n'ai rien remarqué de suspect. Elle n'a mi__[10] aucune lettre à la poste.
> – Elle n'a pas non plus téléphon__[11]?

adjectif 1

Most adjectives follow the noun, e.g. *le ballon rouge*. A few always precede the noun, e.g. *petit* (*Le petit prince*). Some adjectives change their meaning according to their position. Placing an adjective before the noun can give it emphasis, e.g. *ce malheureux pays* (this wretched country).

La place des adjectifs

Après le nom

La plupart des adjectifs se placent généralement après le nom. Sont rarement placés avant le nom:

a les participes servant d'adjectifs, **ex:** *le français écrit*;
b les adjectifs exprimant la couleur, la religion, la nationalité et la forme, **ex:** *une femme française*;
c un adjectif et son complément, **ex:** *une soupe bonne à manger.*

Avant le nom

a beau, bon, court, double, gentil, gros, haut, jeune, joli, long, mauvais, méchant, meilleur, moindre, vieux, vilain (à moins d'être modifié par peu, très...) **ex:** *une rue très longue*;
b un adjectif placé normalement après le nom peut se placer avant pour rendre la phrase plus expressive.

- Lisez ces phrases tirées du portrait de la cité HLM de l'Epeule, écrit par Blandine Grosjean dans *l'Evénement du jeudi*:

se faire à to get used to
le relent smell
la poubelle bin
pourri rotting

> Sous le soleil, ce n'est pas une cité. Plutôt un *vilain* village *jaune, sale* et plein de gens. On se fait vite... aux chiens *errants* et à ces relents de poubelles *pourries* qui attirent les rats...

vilain – adjectif placé avant le nom
jaune – adjectif de couleur, vient après le nom
sale – adjectif changeant de sens selon sa place:
un village sale (qui n'est pas propre)
un sale village (un mauvais village)
errants, pourries – participes servant d'adjectifs, se placent après le nom

Quelques adjectifs changent de sens selon leur place

pour trois fois rien for next to nothing

> De *nombreuses* familles maghrébines ont racheté pour trois fois rien de belles maisons avec jardinets.

de nombreuses familles = beaucoup de familles
une famille nombreuse = une famille ayant beaucoup d'enfants

Exemples d'adjectifs changeant de sens selon leur place:

	avant le nom	après le nom
ancien	qui existait avant	vieux
brave	honnête, bon, simple	courageux
cher	aimé	qui coûte beaucoup
grand	qui a réalisé de grandes choses	qui n'est pas petit
pauvre	malheureux	pas très riche
propre	qui vous appartient	pas sale
vrai	réel	opposé à faux

adjectif 2

Adjectives agree with the noun they describe in number and gender, e.g. *un livre intéressant* (m.s.), *des idées intéressantes* (f.pl.).

Accord de l'adjectif

L'adjectif s'accorde en genre et en nombre avec le nom qu'il qualifie:

	singulier	pluriel
masculin	un livre intéressant	des livres intéressant*s*
féminin	une idée intéressant*e*	des idées intéressant*es*

Un adjectif qualifiant un nom masculin et un nom féminin s'accorde avec le nom masculin: *Hélène et Paul sont grands. Mes enfants, Paul et Marie sont petits.*

● Lisez cette description des chambres de bonne à Paris (*Le Monde*).

la chambre de bonne maid's room (small, cramped attic room)
mansardé with sloping ceiling, in the attic
la lucarne window in the ceiling, skylight
le point d'eau source of water, tap

> Minuscules (8m² en moyenne), le plus souvent mansardées, éclairées par une lucarne, froides l'hiver, torrides l'été, les chambres de bonne sont d'un inconfort notoire, avec un point d'eau pour tout l'étage et le «pipi-room» collectif au fond du couloir étroit...

féminin pluriel
Ces adjectifs s'accordent avec chambres.

masculin singulier
Cet adjectif s'accorde avec couloir.

Activité 1

Dans le passage suivant, une description des habitants des chambres de bonne, expliquez l'accord et la place des adjectifs en italiques:

Ex: ***âgées***, adjectif qui se place après le nom féminin pluriel s'accordant avec *personnes*.

le ménage aux faibles ressources low income household
DOM TOM = Départements/ Territoires d'Outre Mer
les chômeurs de longue durée long-term unemployed
la famille monoparentale one parent family

> Des ménages aux faibles ressources, des ouvriers et employés arrivés de province, des travailleurs *immigrés*, français ou étrangers (DOM-TOM, Afrique du Nord, Asie, Pologne...) des étudiants, des personnes âgées *isolées*, des chômeurs de *longue* durée, des familles monoparentales démunies: une population hétéroclite d'exclus des *vrais* logements.

Activité 2

● Lisez cette description des hôtels anglais tirée de la brochure *Brittany Ferries*. Remplissez les blancs avec les adjectifs appropriés que vous choisirez dans la liste ci-dessous.

> REPARTIS dans les plus ___[1] régions, ils sont 103 à répondre à nos critères de choix. Des établissements de caractère, chacun ___[2], au cachet typiquement ___[3] où le charme ___[4] n'a d'égal que le comfort ___.[5] Moquette ___[6], atmosphère ___[7], accueil ___[8] et services de qualité confèrent une intimité ___[9] à votre ___[10] domicile. Les breakfasts y sont ___[11] et les possibilités d'activités ___[12] (tennis, piscine, sauna, cheval, golfe...) Brittany Ferries a toujours choisi ses hôtels au coeur de ___[13] contrées, à deux pas d'une ville ___[14] à visiter. Vous avez l'assurance d'y passer les ___[15] vacances.

a chaleureux	**d** meilleures	**g** britannique	**j** cosy	**m** feutrée
b nouveau	**e** copieux	**h** belles	**k** extérieur	**n** superbes
c nombreuses	**f** intérieur	**i** intéressante	**l** différent	**o** épaisse

Le charme cossu des hôtels britanniques

Cas particuliers

bel, nouvel, vieil devant les noms masculins singuliers commençant par *h, a, e, i o, u*
un beau monument, un bel ensemble
un nouveau magasin, un nouvel hôte
un vieux château, un vieil arbre

Voir aussi pages 31, 32 (accord: adjectifs)

adjectif 3

Activité 3

Le choix de l'adjectif change le sens d'un passage. Choisissez d'autres adjectifs pour remplacer ceux dans le passage suivant afin de donner à la ferme un air plus accueillant.

Devant la ferme *isolée* un chien *maigre* accueille les *rares* visiteurs en aboyant. La porte *grise* de la grange *délabrée* s'ouvre sur un intérieur *sombre* et *sale*.

- L'extrait suivant est tiré de *L'enfant aux loups* de Françoise Chandernagor. Il décrit un grand ensemble et les jeunes qui y habitent.

> En passant je constatai que les enfants de la cité avaient bombé sur le béton les mêmes dessins *rouge* et *bleu,* les mêmes slogans que sur les parpaings du PROMOGROS, quelques blocs plus loin «Vive Hassan, le roi du funky», «Mort aux skins».
>
> Lorsqu'on va à Evreuil par le RER, on sait qu'on est dans la *bonne* direction quand on voit un wagon *neuf barbouillé* au marqueur ou des sièges *éventrés* qui laissent échapper leur bourre…
>
> «Ce sont des vandales», m'avait dit l'assistante sociale qui m'accompagnait dans ma visite du *grand* ensemble, mais ceux des TROIS-BOEUFS ne sont pas les *pires*.»

les dessins rouge et bleu – il n'y a pas d'accord puisqu'il s'agit de couleurs mêlées

on dit aussi des yeux brun foncé (d'un brun foncé)

pires – superlatif de mauvais (the worst)

bomber to spray graffiti
le béton concrete
le parpaing wall made of breeze blocks
Promogros a shop
RER (Réseau Express Régional) Parisian high-speed network
le marqueur stencil
barbouiller to daub
éventrer to slit open
la bourre stuffing

Regardez les adjectifs en italiques qui se trouvent dans l'extrait ci-dessus.

Activité 4

Lesquels donnent une impression de dégoût et de saleté?

Activité 5

- Voici une description de trois habitants de la ZUP (zone à urbaniser en priorité) de Vaulx-en-Velin où, suivant la mort d'un jeune motard, Thomas Claudio il y a eu des émeutes:

> **1** *Le serveur* du bistrot détruit par les vandales. Monsieur Paul est malheureux… un brave monsieur tout rond…
> **2** *Daniel*. Il fut l'un des plus violents…
> **3** *Hayet*, jeune fille d'origine tunisienne, avec ses cheveux sages, ses yeux bleus pétillants soulignés de noir…

1 Relevez les adjectifs dans les trois descriptions.
2 Quelle impression nous donnent-ils de ces personnes?
3 Ajoutez deux phrases à chacune de ces descriptions.
4 Ecrivez-les de nouveau en essayant de donner une toute autre impression. N'employez pas plus de six adjectifs.

adjectif: comparatif, superlatif

The comparison of adjectives is expressed by ***plus***, (more) ***aussi***, (as) ***moins***, (less), e.g. *Il est **plus/aussi/moins** beau que moi.*

The superlative is expressed by, ***le plus/le moins***, e.g. *Il est le plus beau de nous tous.*

Le comparatif et le superlatif des adjectifs s'expriment ainsi:

adjectif	comparatif	superlatif
beau	plus/moins/aussi beau	le plus/le moins beau
	plus/moins/aussi belle	la plus/la moins belle
	plus/moins/aussi beaux	les plus/les moins beaux
	plus/moins/aussi belles	les plus/les moins belles
bon	meilleur, moins bon	le/la/les meilleure(es)
mauvais	plus mauvais/pire[1]	le/la/les plus mauvais(es)
	moins mauvais	le/la/les pire(s)

[1] *pire* est plus péjoratif que *plus mauvais*

le tournoi tournament
la reprise de volée return of volley
le coup droit forehand stroke
au filet net play

au bout du fil on the line
ne coupez pas don't hang up

La place du comparatif et du superlatif: avant ou après le nom selon l'usage ou le style.

Ex: *Thadée est un grand champion mais pas le plus grand champion. Grand* se plaçant normalement avant le nom s'y place également au superlatif. Si le superlatif suit le nom, l'article s'emploie avant le nom *et* avant le superlatif: *le tournoi le plus prestigieux.*

● Regardez ces exemples tirés du *Guide Zinzin des records* de Yak Rivais.

le plus grand champion

«Thadée Karamélexki? Vous venez de remporter le tournoi d'Ortolan Garros pour la quinzième fois. On peut dire que vous écrasez vos adveraires...
— Normal, je suis le plus fort.
— Vos reprises de volée sont...
— Des modèles du genre, je le sais.
— Vos coups droits...
— Personne ne fait mieux, c'est connu.
— Vos revers, vos balles du fond de court sont...
— Formidables, tout le monde est d'accord là-dessus.
— Vos montées au filet, vos services sont...
— La perfection, c'est évident.
— Bref, vous êtes...
— Extraordinaire, je l'admets.
— Et avec ça d'une modestie!
— Ça c'est vrai! Il n'y a pas *meilleur* modeste que moi!»

le fil le plus précieux

«Allô! Je suis au bout du fil!
— Je m'en doute.
— Il faut que je vous explique! J'étais dans une cabine téléphonique auprès de la falaise.
— Et alors?
— Un camion est venu en marche arrière.
— Et alors?
— En reculant, il a poussé la cabine au bord de la falaise.
— Et alors?
— Alors je suis tombé dans le vide, je suis suspendu au téléphone et ma vie ne tient plus qu'à un fil!
— Dans ce cas, ne coupez pas!»

le meilleur ami des bêtes

Activité 1

Voici d'autres titres dans le *Guide Zinzin*. L'adjectif est donné. Exprimez-le au superlatif.

Ex: *le bon ami des bêtes*
le meilleur ami des bêtes

1 l'archer original
2 la petite salle de bain
3 la bonne lessive
4 le long nez
5 le grand scout
6 le cheval rapide
7 la grande chaussette
8 le cycliste prudent
9 le musicien original
10 le bon lanceur de peaux de bananes

adjectifs possessifs 1

Possessive adjectives, my, your, her, etc. qualify nouns by indicating ownership, possession, or some other kind of attachment. In French, they do not bear the *person* of the *possessor*, but the number and gender of the *thing(s) possessed*: *Elle a perdu* ***son*** *argent* (She has lost her money).

Les adjectifs possessifs marquent une relation d'appartenance, de possession, ou de dépendance entre un sujet et un objet/une personne. En français les adjectifs possessifs ne portent pas la marque de *personne* du possesseur, mais la marque du *genre* et du *nombre* de l'objet possédé.

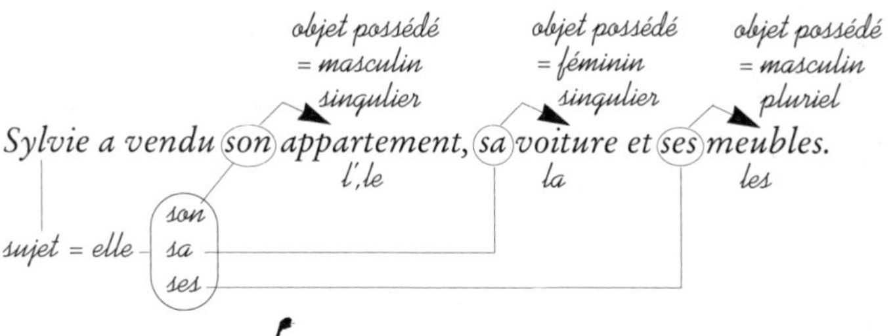

les rapports entre sujet et adjectif possessif:

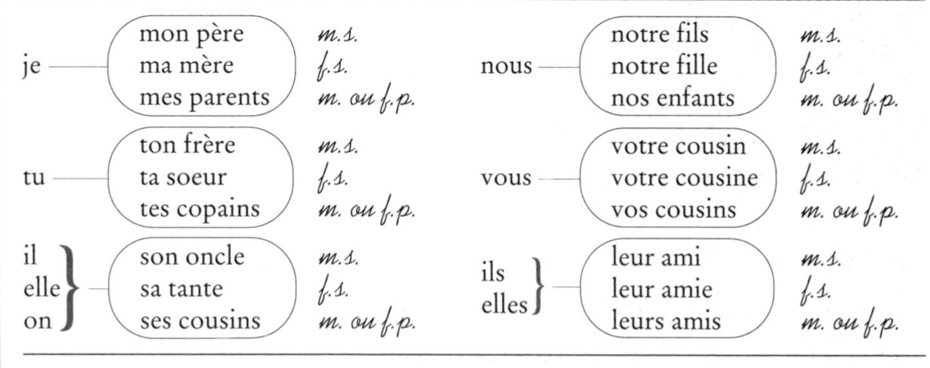

je	mon père	*m.s.*	nous	notre fils	*m.s.*
	ma mère	*f.s.*		notre fille	*f.s.*
	mes parents	*m. ou f.p.*		nos enfants	*m. ou f.p.*
tu	ton frère	*m.s.*	vous	votre cousin	*m.s.*
	ta soeur	*f.s.*		votre cousine	*f.s.*
	tes copains	*m. ou f.p.*		vos cousins	*m. ou f.p.*
il / elle / on	son oncle	*m.s.*	ils / elles	leur ami	*m.s.*
	sa tante	*f.s.*		leur amie	*f.s.*
	ses cousins	*m. ou f.p.*		leurs amis	*m. ou f.p.*

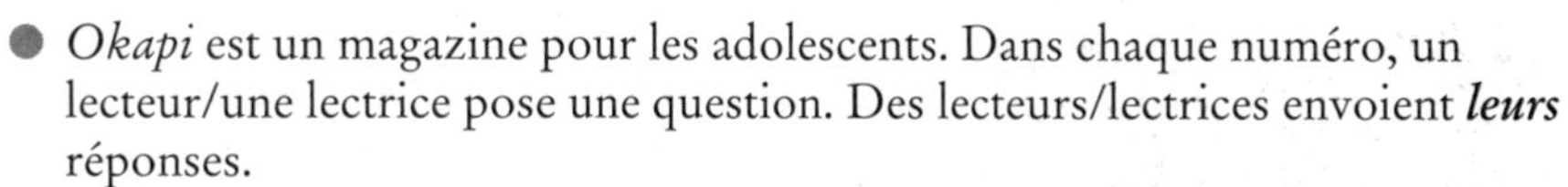

● *Okapi* est un magazine pour les adolescents. Dans chaque numéro, un lecteur/une lectrice pose une question. Des lecteurs/lectrices envoient ***leurs*** réponses.

Une question envoyée par Anne, qui habite à Amiens: «comment doit-on réagir face au divorce de ***ses*** parents?»

Voici quelques-unes des réponses qu'Anne a reçues à ***sa*** question:

«TU NE SAIS PAS COMMENT VIT TON PÈRE»

«Salut, Anne. Je peux peut-être te renseigner, car mes parents sont divorcés. Je vis avec ma mère, et je suis très heureuse. Je vois mon père tous les quinze jours.

Tu ne sais pas comment vit ton père. Peut-être qu'il a une vie d'enfer, ou peut-être que la vie qu'il mène ne te plairait pas.

Le principal, c'est que tu te sentes bien avec la personne avec qui tu vis, et qui t'aime. C'est mon cas, avec ma mère et ma sœur.»

Anne-Sophie, Béthune (62)

Je = Anne-Sophie, une fille. Elle écrit mon père parce que l'adjectif possessif prend le genre et le nombre de l'objet possédé = père (masculin singulier).

mes parents (pluriel)

«ÉCRIS À TON PÈRE»

«Salut, Anne. Mes parents sont divorcés depuis cinq ans. Je vis chez ma mère. Ils ont fait attention à leurs enfants, mon frère, ma sœur et moi, car ils sont tous les deux dans la même ville.

Depuis un an et demi, mon père s'est remarié, et j'ai deux demi-frères. Nous sommes heureux. Je crois que je vais habiter chez mon père.

J'espère que ta situation s'améliorera. Pour cela, tu peux peut-être écrire à ton père.»

Mélanie, Saint-Jean-de-Braye (45)

ma sœur (féminin singulier)

mon frère (masculin singulier)

«ON A LE DOUBLE DE CADEAUX»

«J'ai des parents divorcés, mais je les vois tous les deux, un chaque semaine. C'est bien, mais ça a aussi des inconvénients, car je dois, en quelque sorte, déménager chaque semaine. C'est embêtant: on ne peut pas se «souder» à sa maison.

Mais le bien, dans tout ça, c'est qu'on voit ses deux parents… et qu'on a le double de cadeaux!»

David, Eslourenties (64)

«on… sa maison» (la maison: féminin singulier)

… une vie d'enfer a hellish existence
c'est mon cas that's how it is with me
déménager move out, move house
se souder be close, bond

adjectifs possessifs 2

- Une question posée par Natacha, d'Albi: «Que pensez-vous du 20e siècle?»

Deux réponses:

«J'aime particulièrement le début du 20e siècle si riche dans sa littérature, sa musique, son architecture, sa peinture et ses modes. Cela veut aussi dire le début de l'affirmation féminine, et ça, c'est très important pour moi.»

Aude, Paris

son architecture! architecture = féminin, mais, devant une voyelle on met la forme masculine. Pareil pour mon, ton: «mon amie», «ton adresse»

(la) peinture (féminin singulier) *(les) modes (pluriel)* *(la) littérature (féminin singulier)* *(la) musique (féminin singulier)*

«Ce qui m'a le plus fascinée, ce sont les ordinateurs. Ils sont extraordinaires! Le 21e siècle, j'espère, ne stagnera pas, car l'homme a besoin de tant de choses pour assouvir son besoin de créer…»

Sophie, Vauvert (30)

(le) besoin (masculin singulier)

stagner to stand still
assouvir satisfy

le rang row (of desks)
postuler propose, nominate
les atouts (m) strong points (lit. trumps)

agrafé(s) clipped, stapled
le délai time limit

le cerveau brain
les cellules nerveuses nerve cells

traiter deal with
le trait (drawn) line
la courbe curve (of graph)
les moeurs (m) social customs, morals
le trimestre term
exposé (school) project

- *Okapi* contient aussi une rubrique qui s'appelle «Les bonnes idées d'Okapi». Le magazine donne à ses lecteurs de bons conseils. Voici quelques bonnes idées pour réussir la rentrée scolaire:

VIVE LE PREMIER RANG!

Vous êtes installé au premier rang: maintenant, vous buvez les paroles de *votre* professeur, et vous faites *vos* devoirs avec une facilité qui vous ferait postuler pour le prix Nobel!

Bien sûr, tout n'est quand même pas toujours facile. **Détectez *vos* points faibles et *vos* atouts.**

N'hésitez pas à recopier *vos* leçons. C'est une bonne manière de les apprendre.

RELISEZ, RÉVISEZ!

Réviser, ce n'est pas apprendre *ses* leçons, mais vérifier qu'on les a bien apprises, tous les jours, après la classe. Nuance!

Relisez *vos* leçons, ainsi que *vos* devoirs et *leurs* corrigés, que vous aurez agrafés ensemble. Vous pouvez même vous donner un délai pour chaque matière; vous saurez ainsi gérer finement *votre* temps, et vous y gagnerez de la rigueur.

- *Okapi* présente chaque mois un «Dossier Spécial» d'informations. Dans ce numéro, son sujet, c'est le cerveau. En voici un petit extrait:

Comment *notre* cerveau peut-il réagir à un son, à une odeur, pour commander un mouvement du corps, ou produire une pensée? Grâce aux incroyables réseaux de *nos* cellules nerveuses…

A noter

1 L'adjectif possessif devient inutile dans des phrases ou le rapport de possession est très clair: «Quand on a mal au (non pas **à son**) bras, c'est le cerveau qui reçoit le **message** de douleur.» (L'article remplace l'adjectif possessif.)

2 En français, l'adjectif possessif **se répète** devant chacun des substantifs d'une liste (en anglais, cette répétition n'est pas nécessaire): «Le cerveau contrôle notre raisonnement, nos mouvements, nos sensations.»

adjectifs possessifs 3

Voici d'autres «Bonnes Idées» d'Okapi pour vous aider à réussir votre rentrée scolaire. Remplissez les blancs avec un *adjectif possessif.*

1 Organisez-vous
Ça y est, vous êtes rentré! Mais, connaissez-vous ___[1] emploi du temps, les noms de ___[2] professeurs et les numéros de ___[3] salles de classe? Sinon, organisez-vous! Ne vous dites pas: «Ça va, je peux toujours demander à ___[4] copains ce que nous avons comme cours, ou ___[5] prochaine salle de classe». C'est une erreur. Apprenez à organiser ___[6] vie.

2 Documentez-vous
Complétez ___[7] leçons en notant, chez vous, d'autres renseignements qui s'y rapportent. Surveillez les programmes de radio et de télévision dans le journal afin de trouver une documentation qui enrichira ___[8] devoirs. Souvent ceux qui choisissent les bonnes émissions de télévision ou de radio tombent sur des aspects de ___[9] études que ___[10] professeurs n'ont pas le temps de traiter en classe. Nous pouvons tous améliorer ___[11] connaissances hors de la salle de classe.

3 Affichez ___[12] résultats
Faites un grand tableau et affichez-le dans ___[13] chambre. Inscrivez ___[14] notes, matière par matière, et joignez-les par un trait. Le but de ce jeu? Que toutes ___[15] courbes montent!

4 Apprenez la tolérance
Le lycée, c'est un endroit où nous apprenons des matières scolaires, bien sûr, mais c'est aussi un lieu ou nous apprenons comment fonctionne ___[16] société. Les autres ne partagent pas toujours ___[17] moeurs, ___[18] coûtumes. C'est une occasion pour nous d'apprendre la tolérance. Cela ne nous empêche pas d'avoir ___[19] propres convictions. On doit savoir exprimer ___[20] opinions sans rancune et on doit savoir entendre les autres exposer ___[21] arguments.

5 Foncez!
Même si le nouveau trimestre n'est pas facile, ne vous renfermez pas sur vous-même, allez vers les autres. Si un copain vous dit: «Hé, tu me prêtes ___[22] dictionnaire un instant» ou «Tu me permets de lire ___[23] exposé?», ne soyez pas froid à ___[24] égard. A ___[25] tour, n'hésitez pas à demander l'aide de ___[26] camarades et de ___[27] professeurs.

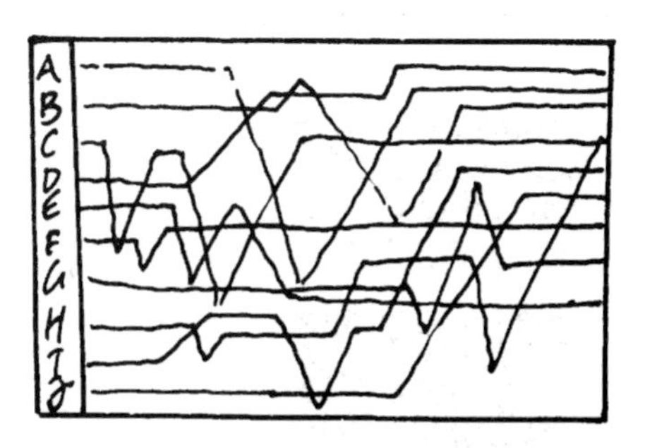

adverbe 1

The adverb qualifies a verb, an adjective or another adverb. Its position in the sentence varies for reasons of emphasis and style but, usually, the position is as follows:

- **a** after the verb in a simple tense;
- **b** between the auxiliary verb and the past participle in a compound tense;
- **c** before the adjective or adverb it qualifies.

L'adverbe est invariable

L'adverbe qualifie un verbe, un adjectif ou un adverbe

Ex: *Vous travaillez bien, votre travail est vraiment bon, oui, vous travaillez remarquablement bien.*

Il y a plusieurs espèces d'adverbe

affirmation:	certainement, précisément
comparaison:	autant, plus
doute:	apparemment, probablement
intensité:	si, très
interrogation:	combien? comment?
lieu:	dedans, partout
manière:	ainsi, vite
négation:	guère, jamais
quantité:	beaucoup, trop
temps:	aussitôt, longtemps

et des locutions adverbiales: de temps en temps, à tort...

Activité 1
Cherchez et ajoutez d'autres exemples à ces listes.

Formation des adverbes en – ent

1. Aux adjectifs qui se terminent au masculin par une consonne ou *e*, ajoutez *–ment* au féminin de l'adjectif, **ex:** *heureux* > *heureusement*, *difficile* > *difficilement.*
2. Aux adjectifs qui se terminent au masculin par une voyelle autre que *e*, ajoutez *–ment* au masculin de l'adjectif, **ex:** *vrai* > *vraiment.*
3. A certains adjectifs on ajoute *–ˆment*, **ex:** *assidu* > *assidûment.*
4. A certains adjectifs on ajoute *–´ment*, **ex:** *énorme* > *énormément*, *profond* > *profondément.*
5. Les adjectifs qui se terminent en *–ant* ou *–ent*, **ex:** *constant* > *constamment*, *violent* > *violemment.*

Comparatif, superlatif

Ex: doucement
comparatif: aussi doucement, plus doucement, moins doucement
superlatif: le plus doucement, le moins doucement

Cas particuliers

a *bien*
comparatif: aussi bien, mieux, moins bien
superlatif: le mieux, le moins bien

b *mal*
comparatif: aussi mal, plus mal, moins mal
superlatif: le plus mal, le moins mal.

Tout

On ajoute ***e*** (ou ***es***) à l'adverbe *tout* avant un adjectif féminin commençant par une consonne ou un *h* aspiré:

Exemples:
il est tout hâlé, elle est tout*e* hâlée,
il est tout content, elle est tout*e* contente, elles sont tout*es* contentes

Activité 2
Ajoutez *tout*, *toute* ou *toutes* aux phrases suivantes:

1 Ils sont heureux.
2 Elle est agréable.
3 Elles ont les cheveux blancs.
4 Elles sont pâles.
5 Il est pâle.

adverbe 2

- Dans cet extrait de *Lullaby* de J. M. G. Le Clézio, la jeune fille qui refuse d'aller à l'école et passe ses journées près de la mer, a peur d'un homme et essaie de lui échapper.

Activité 3

Relevez les adverbes dans ce passage:

> Quand l'homme fut à la moitié du chemin, il releva la tête tranquillement et il regarda la jeune fille. Ses yeux brillaient bizarrement dans son visage sombre. Puis, sans se presser, il recommença à marcher vers l'escalier. C'était trop tard pour redescendre. Aussi vite qu'elle put, elle se mit à courir vers l'autre bout du toit...

La place de l'adverbe

L'adverbe est placé avant l'adjectif qu'il qualifie.
Ex: *Le vent ne souffle pas* ***trop*** *fort.*

L'adverbe est placé après le verbe quand le verbe est à un temps simple.
Ex: *Le vent secouait* ***durement*** *ses cheveux.*

Aux temps composés l'adverbe peut se placer entre l'auxiliaire et le participe passé.
Ex: *Le vent a* ***durement*** *secoué ses cheveux.*
Le vent n'a ***jamais*** *soufflé si fort.*

Souvent et surtout dans le cas des adverbes de lieu ou de temps, l'adverbe se place au début de la phrase pour le mettre en relief.
Ex: ***Lentement****, Lullaby s'approcha de la maison.*
Quelquefois*, elle s'approchait de la maison.*

Activité 4

Les phrases suivantes, tirées également de *Lullaby* manquent d'adverbes; ajoutez-les.

Exemple: *Elle lâcha le petit stylo noir à bout doré et joignit ses mains maigres [nerveusement].*

Elle... joignit nerveusement ses mains.

1 Elle plia le papier. [ensuite]
2 Lullaby parla. [lentement]
3 Lullaby suivit le concierge. [docilement]
4 Elle savait bien marcher dans les rochers. [heureusement]
5 Il ne resta plus que les arbres secoués par le vent. [bientôt]
6 C'est pour votre bien, mon enfant, c'est pour vous aider. [seulement]

Activité 5

Continuez le passage cité ci-dessus qui commence par: *Quand l'homme fut...*
Ecrivez au moins deux paragraphes et tâchez d'y employer quelques-uns des adverbes suivants: *maintenant, soudain, doucement, vite, malheureusement, trop, tout à fait, longtemps, silencieusement, immobilement.*

aller + infinitif (futur proche) 1

Like English, French has two main ways of describing future events. The **future tense proper:** *I shall write*... and the verb **to go + an infinitive:** *I'm going to write.*

The latter way is called the **immediate future** *(futur proche)*. This term can be misleading, however, as the construction does not necessarily imply an earlier timescale than the *real* future tense.

En français, comme en anglais, il y a deux moyens principaux d'exprimer une action future:

1 le temps futur ou futur simple du verbe:

J'arriverai...

(voir page 66–8)

2 le futur proche/prochain:

aller + infinitif

↓ ↓

Je vais arriver...

aller + infinitif est une expression verbale.

● *Samantha*, une bande dessinée de Tito, raconte l'histoire d'un groupe de jeunes français qui font du théâtre. Certains d'entre eux vont avoir la possibilité d'aller prochainement aux États-Unis:

Eric et Vincent ont bien de la chance: ils vont aller passer quinze jours à New York! Leur amie Cathy, elle, n'est pas très contente. Sans eux, elle va trouver le temps long. Elle a bien envie de partir aussi, mais ses parents ne veulent pas: ils disent qu'elle est trop jeune. Pourtant, son frère, Patrick, avait le même âge qu'elle, quand il est allé aux États-Unis, il y a deux ans. Il est resté à New York plus d'un mois. Il va pouvoir aider Eric et Vincent.

Le frère de Cathy est déjà allé à New York...

... il a des tendances à exagérer

aller + infinitif 2

Activité 1
Au cours de l'histoire à la page 44 vous avez vu plusieurs exemples du *futur proche* et du *futur simple*. Faites-en une liste!

Futur simple ou futur proche? Comment décider?

La langue parlée préfère souvent le *futur proche*. Pourquoi?

– parce que la construction est parfois plus simple à articuler (certains conjugaisons du futur simple ne sont pas faciles à prononcer):

cf. *je vais me marier/je me marierai*

– parce que, lorsqu'on parle du futur, on insiste souvent sur son *intention* de faire quelque chose, et on peut constater que le *futur proche* met un peu plus de poids sur cet aspect. Comparez ces équivalents:

futur proche	futur simple
Je vais écrire un roman.	J'écrirai un roman.
Nous allons retourner en Grèce.	Nous retournerons en Grèce.
Patricia va arrêter de fumer.	Patricia arrêtera de fumer.
Je vais devenir artiste.	Je deviendrai artiste.

le futur proche démontre une intention ferme – le futur simple est plus vague

D'autre part, le ***futur simple*** prend la force d'un *impératif* surtout lorsque la personne qui parle exerce de l'autorité sur son interlocuteur:

Vous finirez de boire votre café et vous me retrouverez dans mon bureau d'ici quelques instants.

On parle d'un futur proche, mais on préfère le ***futur simple*** pour l'exprimer. Cela parait plus sec, plus formel et plus ponctuel que le *futur proche*.

Mais il n'y a pas de règle. Ces deux futurs sont souvent interchangeables.

célibataire single
romanesque romantic
en mesure de to be up to

Activité 2
Dans ces horoscopes, substituez un *futur proche* pour chaque temps futur.

Bélier

21 mars–20 avril

Si vous êtes encore célibataire, vous ferez une rencontre. Les choses marcheront très fort en ce qui concernent les affaires d'ordre professionnel, mais vous ne vaincrez pas sans observer les règles du jeu.

Taureau

21 avril–20 mai

Vous prendrez le bon chemin, grace à votre esprit romanesque. N'écoutez pas votre entourage; ils donneront de bien mauvais conseils. Vous serez parfaitement en mesure d'agir sans leur secours.

Gémeaux

21 mai–21 juin

On vous fera une offre en ce qui concerne un placement d'argent. Prudence! Sur le plan affectif, les choses iront mieux. Les contacts humains vous permettront de changer votre situation. Vous en profiterez, mais il faudra saisir vite l'occasion.

après [avoir / être / s'être] + participe passé 1

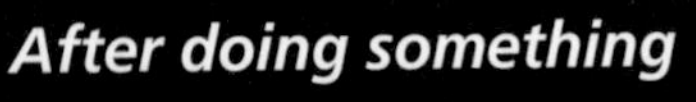

After doing something

In English, this idea is expressed by:

after + present participle

In French, the construction is:

après + [avoir / être] + past participle.

Après	avoir	...	+ participe passé
	être	...	
	s'être	...	

On peut appeler cette construction *l'infinitif au passé.*

Le choix entre ***avoir/être/s'être*** est déterminé exactement comme pour le passé composé.

Cette construction marque une *succession* d'événements ou d'actions.

● Lisez ce texte, qui vient du journal *Centre-France*:

Le voleur est arrêté avec l'argent en poche

L'auteur d'un vol commis dans la nuit du jeudi 10 au vendredi 11, au camping de Pinois, a été arrêté peu après le vendredi, en fin de matinée, par les gendarmes de la brigade de Pinois et de l'équipe de recherche de la compagnie de Brioude.

Après avoir fracturé la voiture de deux jeunes campeuses, originaires des Landes, un autre campeur, venant, lui, de la région toulousaine, Thierry Lavigne, 22 ans, sans profession, avait fait main basse sur leurs sacs à main et volé l'argent qu'il avait trouvé.

Mais, la rapidité et l'efficacité des gendarmes a permis son arrestation, quelques heures plus tard, avant même qu'il ait eu le temps de dépenser l'argent volé, lequel put ainsi être aussitôt restitué à ses propriétaires.

fracturer = verbe
avoir = auxiliaire

fracturé broken into
faire main basse grab

Le voleur a fait deux gestes...

1 ***Après avoir fracturé*** *la voiture de deux jeunes campeuses...*

dans un premier temps (= sa première action) ... *il a fracturé la voiture.*
et puis...

2 *Thierry Lavigne... avait fait main basse sur leurs sacs à main...*

dans un deuxième temps (= sa deuxième action) ... *il a volé les sacs.*

Après être sortie de prison en juillet 1985, Marie-Elise Calvet a passé deux longues années à chercher du travail. Enfin, grâce à une rencontre tout à fait...

sortir = verbe
être = auxiliaire
accord du participe passé = sortie

1 dans un premier temps... *Marie-Elise est sortie de prison...*
2 dans un deuxième temps... *elle a cherché du travail.*

après [avoir / être / s'être] + participe passé 2

l'étape (f) stage, period

- Dans cet extrait d'un article du journal *France Dimanche* l'auteur parle d'une étape de la vie d'Elizabeth Taylor, qui était sur le point de se marier avec Larry Fortenski:

Heureuse

Elle était heureuse car, après avoir longuement hésité, retardé sa décision, écouté les conseils contradictoires des uns et des autres, elle réservait à Larry la plus émouvante des surprises: elle s'était décidée à l'épouser! De faire de lui son huitième mari!

Après s'être longtemps laissé influencer, elle avait fini par choisir. Choisir de s'unir à Larry.

hésiter = *verbe*
avoir = *auxiliaire*

(on peut insérer un adverbe entre l'auxiliaire et le participe passé)

- Voici un autre exemple, tiré du journal *Le Provençal*:

Accidents sur les plages
On bat tous les records!

Après avoir effectué onze interventions sur les plages du littoral de Marseille, hier au cours de la journée, les maîtres-nageurs-sauveteurs ont sauvé de la noyade, en fin d'après-midi, une petite fille âgée de 2 ans et demi.

L'accident s'est produit vers 18h30 sur la plage du Prado. Ayant échappé à la surveillance de sa mère, Malika a été emportée par le courant. Des baigneurs ont fort heureusement donné l'alerte et les «Mns» ont réussi à repêcher l'enfant quelques instants seulement après avoir coulé.

Réanimée sur place, Malika a été transportée consciente à l'hôpital de la Timone.

le maître-nageur-sauveteur lifeguard
la noyade drowning
couler to go under

1 ***Après avoir effectué*** *11 interventions sur les plages...*

Premier événement: *les maîtres-nageurs ont fait 11 interventions...* et puis...

2 *les maîtres-nageurs-sauveteurs... ont sauvé... une petite fille*

deuxième événement: *les maîtres-nageurs ont sauvé une fille...*

Activité

Comme dans les exemples ci-dessus, distinguez la *succession des actions/événements*. (Simplifiez les phrases si vous voulez.)

Après avoir chanté deux numéros de son nouvel album, Etienne Daho a quitté la scène pour regagner l'hôpital.

Premiere action: *Etienne Daho...*
Deuxième action: *il a ...*

Après être arrivé à Dijon avec 300 mètres d'avance sur ses adversaires, l'Irlandais Sean Kelly est entré en collision avec une camionnette de service.

Premier événement: ...
Deuxième événement: ...

avant de, avant que

Before *overtaking* is expressed by ***avant de*** plus the infinitive if the subject of the main clause and the subordinate clause are the same: *Before overtaking, I look in my mirror*. If the subject changes, use the subjunctive after ***avant que***: *Before I overtake, my instructor reminds me about my mirror.*

le dépassement overtaking
latéralement at the side
le rétroviseur driving mirror
le clignotant indicator

▶ 1 **AVANT LE DEPASSEMENT**
La préparation du dépassement, c'est sans doute le plus important.

▼ 2 **PENDANT LE DEPASSEMENT**
Le dépassement lui-même.

3 **APRES LE DEPASSEMENT**
Le retour à droite.

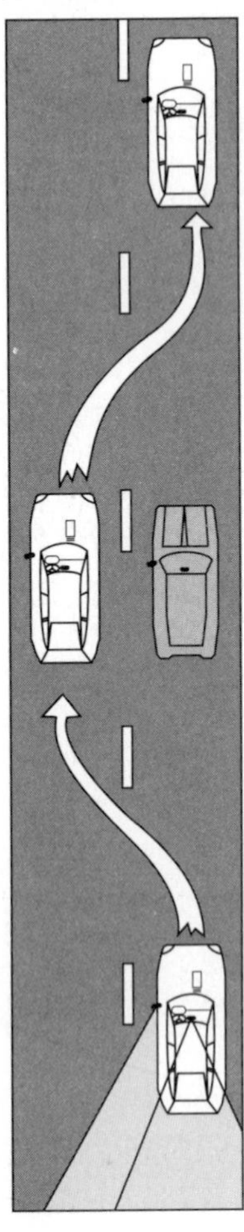

Avant de

Avant de *traverser je regarde à gauche et à droite.*

Avant + infinitif n'est possible que quand la principale et la subordonnée ont le même sujet: *je traverse... je regarde.* (le sujet est *je.*)

Avant que

Avant qu'*il parte, je dis toujours à mon fils de regarder à droite et à gauche.*

Avant que + le subjonctif s'emploie parce que le sujet de la principale est *je* mais le sujet de la subordonnée est *mon fils.*

S'emploient aussi: avant le départ (avant de partir)
avant l'arrivée (avant d'arriver)

- Dans *Le code de la route* français on parle des trois phases du dépassement. (*Guide Codoroute*).

Activité 1

Lisez les fins des phrases suivantes et ajoutez-y le début en choisissant entre: *avant de dépasser, pendant le dépassement* et *après avoir dépassé.*

N.B. N'oubliez pas qu'en France on roule à droite.

1 ... il faut laisser latéralement un intervalle d'au moins un mètre.
2 ... on voit dans le rétroviseur le véhicule que l'on vient de dépasser.
3 ... on s'assure que la voie qu'on va prendre est libre.
4 ... on doit être sûr de trouver une place pour revenir à droite.
5 ... on revient à droite.
6 ... on maintient le clignotant gauche.
7 ... on met son clignotant gauche.

Activité 2

Dans les phrases suivantes, choisissez entre ***avant que*** + subjonctif et ***avant de*** + infinitif.

Exemple:
Le véhicule rouge m'a dépassé ***avant*** ___ *[voir]*
Le véhicule rouge m'a dépassé ***avant que*** *je l'aie vu.*

1 Avant ___ il faut tenir compte de la densité de la circulation. [partir]
2 Pour l'aider, avant ___ je lui dis toujours si l'espace derrière est suffisant. [faire marche arrière]
3 Avant ___ il faut vérifier les freins. [partir]
4 Avant ___ l'autoroute j'ai dit à l'ami anglais qui conduisait qu'il fallait s'arrêter au poste de péage. [prendre]

ce, cet, cette, ces, -ci, -là

Demonstrative adjectives that agree with the noun to which they refer: to express **this** rather than **that**, add ***-ci*** and to express **that**, add ***-là***: *Cette explication-ci est en anglais, mais cette explication-là est en français.*

Adjectifs démonstratifs qui s'accordent avec le nom qu'ils désignent.

	masculin	féminin
singulier	ce	cette
pluriel	ces	ces

Au masculin singulier, devant un nom qui commence par *h* muet ou par une voyelle, ***cet*** s'emploie au lieu de ***ce***, **ex:** *ce monsieur, cet homme.*

● Regardez ces exemples tirés du *Catalogue d'objets introuvables* de Jacques Carelman:

1

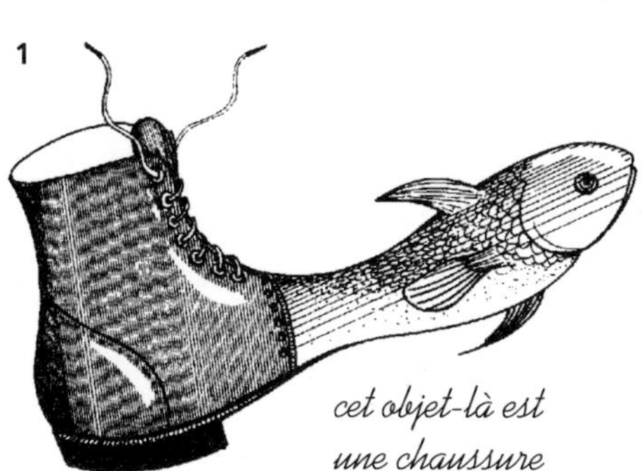

2

3

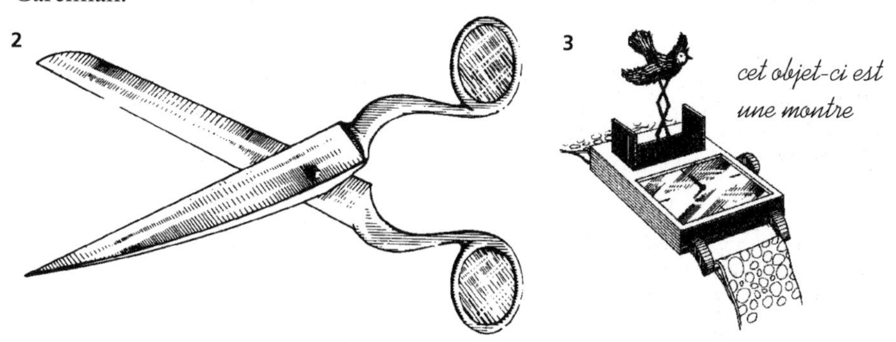

En ajoutant *-ci* ou *-là* à ***ce, cette, cet, ces*** on indique que l'objet est plus proche qu'un autre objet.

1 Accrochez ***cet*** objet à l'hameçon d'un pêcheur et observez ses réactions.
2 ***Ces*** ciseaux optiques permettent aux dames âgées de mieux y voir tout en faisant leurs travaux de couture.
3 Montre-bracelet coucou. Quelle surprise pour votre entourage lorsque le coucou de ***cette*** montre jaillira joyeusement…

le hameçon fish-hook
jaillir to spring up joyously

Activité 1

Ajoutez l'adjectif démonstratif aux phrases suivantes:

1

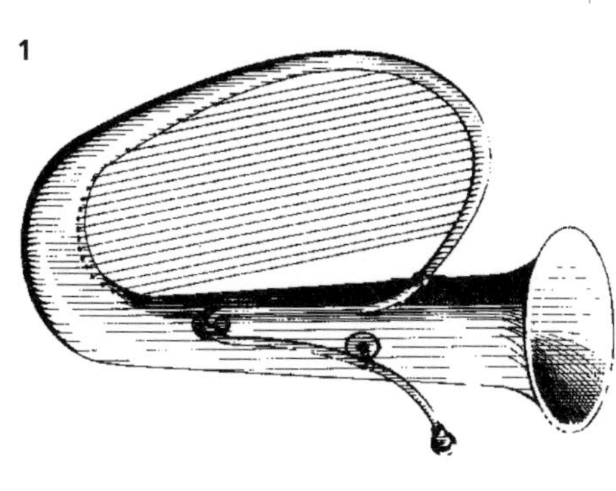

2

3

4

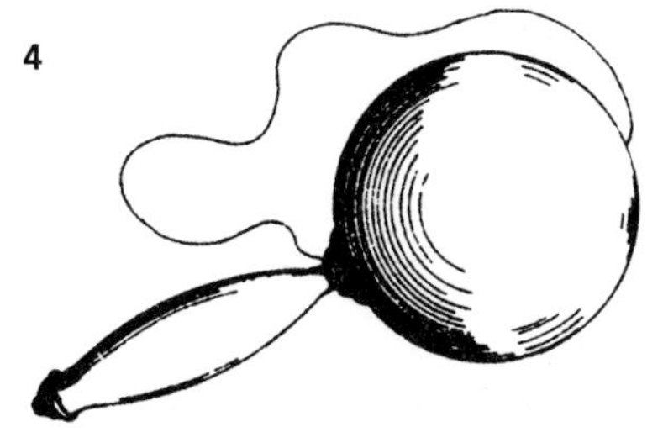

1 ____ instrument permet au joueur de tuba de faire son propre accompagnement.
2 ____ lunettes dont les verres contiennent de petits cristaux blancs, donnent l'illusion lorsqu'on les agite que la neige tombe. Très curieux et instructif.
3 Peigne pour faire les raies de côté. Une des dents de ____ peigne étant plus grosse que les autres, il partage la chevelure d'une façon irrégulière.
4 Bilboquet monobloc. Avec ____ jouet taillé dans un bloc de bois on évite le désagrément de recevoir le bilboquet sur la main.

la raie de côté side parting
le bilboquet cup and ball

Activité 2

Inventez d'autres objets introuvables et écrivez-en les descriptions commençant par ce/cet/cette/ces…

celui, celui-ci, ceci, ça 1

Celui, celle, ceux, celles are demonstrative pronouns meaning **'the one, the ones, those of/those who...'**

celui-ci / celle-ci } the latter

celui-là / celle-là } the former

Celui, pronom démonstratif

Celui, pronom démonstratif s'accorde avec le nom qu'il désigne. S'emploie suivi d'une relative (qui, que, dont) d'un participe ou d'un complément.

Singulier		Pluriel	
Masculin	**Féminin**	**Masculin**	**Féminin**
celui	celle	ceux	celles

- Lisez cet extrait du livre *Un sac de billes* de Joseph Joffo. Joseph décrit sa bille préférée:

> La bille roule entre mes doigts au fond de ma poche. C'est celle que[1] je préfère, je la garde toujours celle-là[2].

1 Celle que je préfère: pronom suivi de que. Celle s'accorde avec la bille (f.s.).
2 Celle-là: pronom démonstratif qui oppose un objet ou une personne à un autre, ex: Je garde celle-là (cette bille-là) mais je ne garderai pas celle-ci.

la bille marble
marrant (pop.) funny
moche ugly
le vernis varnish
parti rubbed off
l'aspérité (f) rough patch
la récré = la récréation

- Joffo continue:

> Le plus marrant, c'est que c'est la plus moche de toutes: ... c'est une bille en terre et le vernis est parti par morceaux, cela[1] fait des aspérités sur la surface...

1 Cela: le fait que le vernis est parti.

ceci, cela, ça

Pronoms démonstratifs qui ne s'accordent pas car ils ne désignent ni un nom masculin ni féminin. Ils sont neutres et désignent plutôt une idée.

Ça est moins élégant que *cela* et s'emploie surtout dans la langue parlée.

- Un peu plus tard Joseph parle des billes que son frère Maurice a gagnées à la récréation:

> Avec ce qu'il a empoché à la récré, ça* lui fait des poches comme des ballons.

** Ça (cela): le fait qu'il a beaucoup de billes dans ses poches.*

Le lendemain, c'est le saxophoniste tenor Stan Getz qui occupera la scène du festival de Marciac. Exceptionnel musicien, il est le seul jazzman, avec Miles Davis, a avoir débordé des strictes frontières de ce genre et séduit un vaste public populaire. Il est celui qui fit découvrir la bossa-nova brésilienne.

- Dans cet article sur le Festival de Jazz à Marciac (*Elle*) le pronom démonstratif, *celui*, représentant *le musicien*, se traduit par **the one who...**

- Et dans cet extrait du poème de Prévert *Je suis comme je suis*, ***celui*** se traduit par **whoever/the one who**.

Je suis comme je suis
Je suis faite comme ça
Quand j'ai envie de rire
Oui je ris aux éclats
J'aime celui qui m'aime
Est-ce ma faute à moi
Si ce n'est pas le même
Que j'aime chaque fois

celui, celui-ci, ceci, ça 2

a pour les sportives
banane en toile avec une étiquette sur le devant (Picky Poo, 150 F).

b très belle
banane en daim avec une petite pochette sur le devant (Avant-Première pour les Galeries Lafayette, 315 F).

Activité 1
Répondez aux questions:

1 Laquelle de ces bananes offririez-vous à votre copine?
  a celle qui est en toile?
  b celle qui est en daim?

2 Lequel de ces livres aimeriez-vous lire?
  a celui de Johnny Hallyday?
  b celui de Marc Cerrone?

2 a

LE DERNIER REBELLE

par Johnny Hallyday
Editions Filipacchi

Johnny Hallyday avait un rêve de môme. Celui de traverser les Etats-Unis d'est en ouest, à moto. Avec quelques copains et la délicieuse Dadou, il a réalisé son rêve et s'est offert une grande virée en Harley à travers les States, de Daytona à Los Angeles en passant par Dixieland, la Louisiane, le Texas, l'Arizona, le Nouveau Mexique et le Nevada. Une fabuleuse aventure truffée de péripéties.

b

DANCING MACHINE

par Marc Cerrone
Edition 1

Sans l'accident qui lui a coûté sa carrière de danseur, Alan Wolf aurait pu devenir l'étoile unique de sa génération. Au lieu de cela, il dirige d'une main de fer et avec beaucoup de talent une Académie de danse. A ses côtés, Chico, un jeune danseur prisonnier de la drogue lui sert de vassal. Jusqu'au jour où une série de morts suspectes vient troubler la vie de l'école... Bientôt sur les écrans, avec Alain Delon et Patrick Dupont.

3 LES BOTTINES

a En cuir brillant et porc velours

b Pointue, en cuir fin, avec languette

4 a En croûte de velours, motif incrusté (Emmanuelle Khanh, 950 F).

b En porc velours à pois (Rochas, 2 070 F).

3 Lesquelles de ces bottines préférez-vous?
  a celles qui sont en cuir brillant?
  b celles qui sont pointues?

4 Lesquels de ces gants trouvez-vous les plus bizarres?
  a ceux d'Emmanuelle Khanh?
  b ceux de Rochas?

celui, celui-ci, ceci, ça 3

Activité 2

Suivant les exemples en *Activité 1*, en employant la formule celui/celle, etc. suivis de qui/de, inventez des questions pour les montres, les disques, les chaussettes, les collants.

1

a En plaqué or, étanche, cadran travaillé et calendrier (Revue Thommen).

b En métal doré, à quartz, bracelet cuir surpiqué (Timex).

2

LES COLLANTS MATS **a** En acrylique.

LES COLLANTS SOYEUX **b** Opaque, bien gainant.

3 a

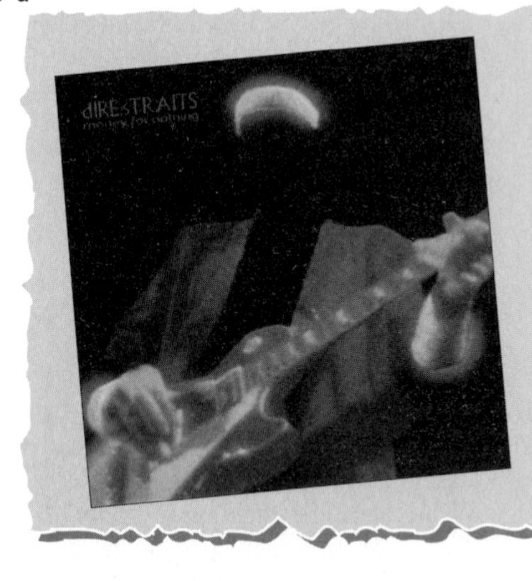

«MONEY FOR NOTHING»

DIRE STRAITS
PHONOGRAM

Cet album du groupe britannique renommé, avec son style individuel et mélodieux, continue à repousser les frontières du genre folk-rock dans les années 80.

b

«WHEELS OF FIRE»

CREAM
POLYDOR

Un des «super-albums» des années 60, qui a lancé Eric Clapton sur la scène mondiale.

4 a Socquette en laine et Lycra (Breiz).

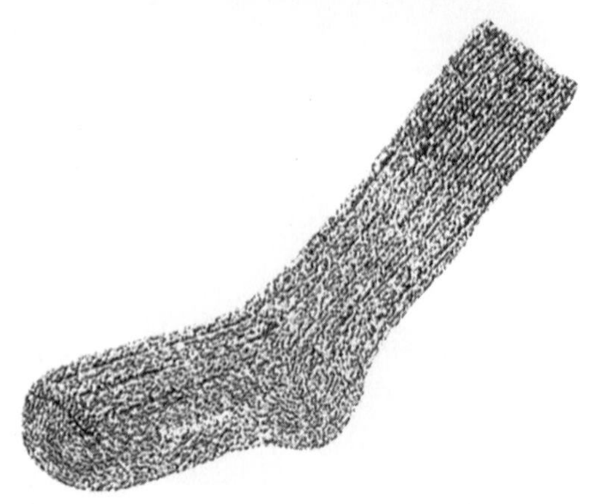

b Chaussette en laine chinée (Ralph Lauren).

ce qui, ce que, ce dont

Ce qui, ce que, ce dont can often be translated in English by **what:** ***Ce que*** *j'ai appris, m'a choqué.* (What [the things that] I learned, shocked me.)

They are often followed by ***c'est*** for emphasis: ***Ce qui*** *me choque* ***c'est*** *le racisme.* (What [the thing that] shocks me, is racism.); ***Ce dont*** *elle se plaint* ***c'est*** *que ses parents ne lui aient pas tout dit.* (What [the thing that] she complains about is that her parents have not told her everything.)

Ce qui, ce que, ce dont: le pronom ***ce*** suivi du pronom relatif s'emploie quand il n'y a pas d'autre antécédent.

Exemples:
Les bidonvilles qui se trouvaient près des grandes villes étaient affreux.
L'antécédent = les bidonvilles
Les HLM que les Français construisent sont de grands blocs.
L'antécédent = les HLM
Je comprends ce que j'ai appris sur l'immigration.
L'antécédent = ce (les choses)
Ce qui me dégoûte c'est le racisme.
L'antécédent = ce (la chose)
Ce dont ils se plaignent, c'est le manque de tolérance.
L'antécédent = ce (la chose dont...)

- Lisez cet extrait d' *Anne ici, Selima là-bas* de Marie Féraud. Selima, dont les parents sont Algériens parle du bidonville où elle est née:

«Mes parents ne m'ont pas vraiment menti en disant que j'étais née à Pierrefont. Ils ont seulement oublié de préciser qu'à l'époque, Pierrefont était encore un bidonville à la périphérie de Marseille... je n'ai bien sûr jamais parlé du bidonville en famille, sauf quelques mots avec ma mère et, depuis peu avec mon frère Larbi... Avec la télé, l'école, les conversations entre adultes et depuis peu avec les livres, je me suis fait une vague idée de la façon dont tout ça a pu se passer: l'immigration, l'indépendance, le travail au chantier, le bidonville, les HLM... Mais je ne peux pas dire que j'ai été révoltée par ce que j'apprenais.»

à l'époque at the time
le bidonville shanty town
le chantier building site
HLM (habitation à loyer modéré) low rent housing

Qu'est-ce qui l'a aidée à comprendre? Ce qui l'a aidée à comprendre c'est la télé, l'école, les conversations et les livres.

Qu'est-ce qu'elle apprenait? Ce qu'elle apprenait c'est que ses parents étaient venus en France après l'indépendance de l'Algérie.

Activité 1
Suivant les exemples ci-dessus, répondez à ces questions:

1 Qu'est-ce que ses parents lui ont dit? Ce que...
2 Qu'est-ce qu'ils ont oublié de préciser? Ce qu'...
3 Qu'est-ce qui aurait pu la révolter? Ce qui...

Activité 2
Ajoutez ***ce qui, ce que*** ou ***ce qu'*** aux phrases suivantes:

1 «Elève sérieuse», c'est ___ a caractérisé ma scolarité.
2 J'ai toujours été ___ on appelle en salle de profs «une élève sérieuse».
3 «Tout ___ ses frères n'ont pas pu faire, la petite le fera» expliquait mon père à ma mère.
4 ___ elle regrettait c'est que sa fille aille au lycée et que son fils soit au chômage.

Activité 3
Ajoutez ***ce qui, ce que, ce qu', ce dont*** ou ***qui, que*** ou ***qu'*** aux phrases suivantes:

1 L'Algérie pour moi, c'était les dattes et les gâteaux ___ on recevait par colis.
2 Elle est une enfant de l'indépendance ___ est née en 1962. Elle est allée au lycée ___ faisait plaisir à son père. ___ ses parents ne veulent pas se souvenir, c'est le bidonville.

c'est, il est 1

Both ***c'est*** and ***il est*** are used in French to express **it is**. Of the two ***c'est*** is used more frequently, particularly in spoken French, but there are some expressions where ***il est*** is needed, e.g. in telling the time and when **it is** is followed by an adjective and then further information: *Il est difficile de prononcer certains mots.*

C'est with an adjective is used to describe an idea already mentioned: *Oui,* ***c'est difficile.***

C'est introduit un mot, s'exprimant au singulier ou au pluriel et à tous les temps: ***c'était, ç'a été, ce fut, ce sera, ce serait...***

C'est et ***il est*** sont exprimés en anglais par **it is** .

Pour leur usage voyez le tableau ci-dessous:

	c'est	**il est**
les noms	C'est une langue.	
professions	C'est un professeur.	Il est professeur.
nationalités	C'est un Français.	Il est français.
religions	C'est un musulman.	Il est musulman.
les adjectifs	Parler français? C'est facile. C'est vrai!	Il est facile de parler français. Il est vrai que c'est facile. Ce pays est grand? Oui, il est grand. La France est grande? Oui, elle est grande.
l'heure		Il est midi.
les pronoms	C'est moi.	
nom + adjectif	C'est une belle langue.	
adverbe	C'est bien.	
pronom relatif	C'est une langue que j'aime. C'est Astérix qui le parle.	
mettre en relief	Ce que je trouve facile, c'est le futur. Le futur, c'est facile.	

● Dans cet extrait de *Les Vacances du petit Nicolas* de Sempé, les exemples de *c'est* sont en italiques.

Nous on est en vacances dans un hôtel, et il y a la plage et la mer et *c'est* drôlement chouette, sauf aujourd'hui où il pleut et *ce n'est pas* rigolo, *c'est vrai* ça, à la fin. Ce qui est embêtant, quand il pleut, *c'est* que les grands ne savent pas nous tenir et nous on est insupportables et ça fait des histoires.

On est en vacances, → c'est chouette

Il pleut, → ce n'est pas rigolo

l'adjectif décrit une idée déjà exprimée.

c'est, il est 2

Activité 1

● Dans ces extraits du *Petit lexique de la langue française,* ***c'est*** et ***il est*** ont été supprimés. Ajoutez-les:

1 Académie française, ___ une assemblée de 40 écrivains connaissant toutes les ressources du français.

2 Argot, ___ aussi vieux que le français... Appeler les chaussures des *pompes*, ___ bien décrire des vieilles chaussures qui pompent l'eau des flaques.

3 Barbarisme, ___ un mot étrange, barbare...

4 Cajun, ___ la langue française transformée par les Américains de la Louisiane.

5 Dictée ___ un jeu, mais seuls ceux qui savent bien lire y gagnent. En 1868, l'écrivain Prosper Mérimée inventa le texte d'une dictée très difficile. ___y___ question entre autres, de *cuissots* de chevreuil et de *cuisseaux* de veau.

6 Sigle, ___ ce qu'on a trouvé de mieux pour raccourcir les brochettes de mots. Bien sûr, ONU ___ bien plus vite dit que l'Organisation des Nations Unies. Ce mot serait un mot français si on l'écrivait *onu* et qu'il trouve sa place dans le dictionnaire... ___ce qui s'est passé pour *jeep* (G. P. en anglais, General Patrol).

l'argot (m) slang
la flaque puddle
le cuissot haunch (of venison)
le cuisseau leg (of veal)
le sigle acronym
la brochette row (also of medals)

Activité 2

Exemples:

1 Qui a dit, «L'Etat, c'est moi»: Louis XIV ou Jeanne d'Arc? [c'était lui]
2 Qui était le premier ministre en Angleterre en 1990: Margaret Thatcher ou Neil Kinnock? [c'était elle]
3 Qui se bat contre les Romains: Tintin, ou Astérix et Obélix? [ce sont eux]

Suivant les exemples ci-dessus, inventez au moins six autres questions, en ajoutant la bonne réponse.

chiffres et nombres

Multiples of 20 and 100 add *s* unless followed by another number:
200 (deux cent*s*),
202 (deux cent deux) but *mille* never takes a plural *s*.

les numéraux cardinaux

0	zéro		
1	un	11	onze
2	deux	12	douze
3	trois	13	treize
4	quatre	14	quatorze
5	cinq	15	quinze
6	six	16	seize
7	sept	17	dix-sept
8	huit	18	dix-huit
9	neuf	19	dix-neuf
10	dix	20	vingt

21 vingt et un
22 vingt-deux etc.
30 trente
31 trente et un
32 trente-deux etc.
40 quarante
50 cinquante
60 soixante
70 soixante-dix
71 soixante et onze
72 soixante-douze etc.
80 quatre-vingt*s*
81 quatre-vingt-un
82 quatre-vingt-deux
90 quatre-vingt-dix
91 quatre-vingt-onze
92 quatre-vingt-douze
100 cent
101 cent un
200 deux cent*s*
201 deux cent un

1 000 mille
2 000 deux mille
1 000 000 un million
1 000 000 000 un milliard

les numéraux ordinaux

1er premier(ère)
2e deux***ième***/second(*e*)
3e trois***ième***
4e quatr***ième*** (drop *e*)
5e cinq***uième*** (add *u*)
9e neu***vième*** (change *f* to *v*)
18e dix-huit***ième***
21e vingt et un***ième***
25e vingt-*cinquième*
100e cent**ième**

Voici illustré le deuxième prix du *Grand Concours* du magazine *Elle*: *un bon d'achat de cinq cent mille francs TTC* (toutes taxes comprises).
(un bon – a voucher)

2e prix: Un bon d'achat de 500 000 F TTC, sur tous les rayons du Printemps.

Celui ou celle qui gagnera aura le droit de dépenser *500 000* francs dans le magasin *Printemps*. Regardez la manière dont on écrit *500 000F*

Activité 1
Ecrivez sur les trois chèques:

1 17, 000 francs
2 260 francs
3 92 francs.

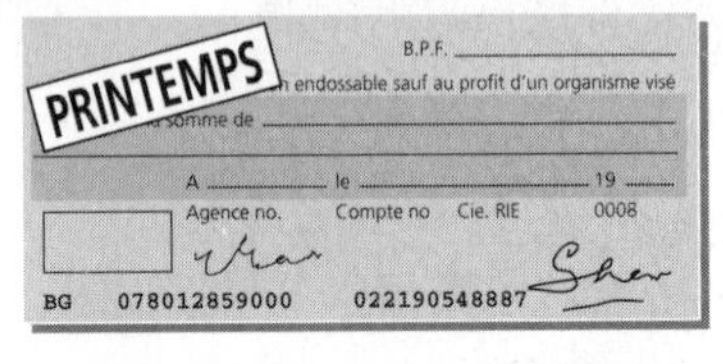

Activité 2
- Suivant l'exemple écrivez le nombre de calories.
Exemple: *un hamburger, c'est deux cent soixante calories.*

1 hamburger	260
1 cheeseburger	300
1 double hamburger	500
1 hot dog moutarde	400
1 quiche lorraine	370
1 part de pizza	350
1 mini paquet de chips	170
1 portion de frites	200
1 poignée de cacahuètes	100
1 sachet de pistaches grillées	650

A noter

½ un demi (of beer), une demi-heure
1.30 une heure et demi*e*
12.30 midi et demi
⅓ un tiers, ¼ un quart
50% cinquante pour cent
10.5 en français = 10,5 (dix virgule cinq)
12 oeufs = une douzaine d'oeufs
1930–39 dans les années trente

des centaines de
un millier de (about a thousand)
une trentaine de
un demi-kilo
la moitié
les trois quarts
dix sur vingt (ten out of twenty)

conditionnel 1

The two tenses of the conditional mood express what would happen or would have happened in certain circumstances, e.g.,
If I had a sister, **we'd fight.**
If I'd had a sister **we would have fought**.

Used also, particularly by reporters, to express uncertainty of the facts.

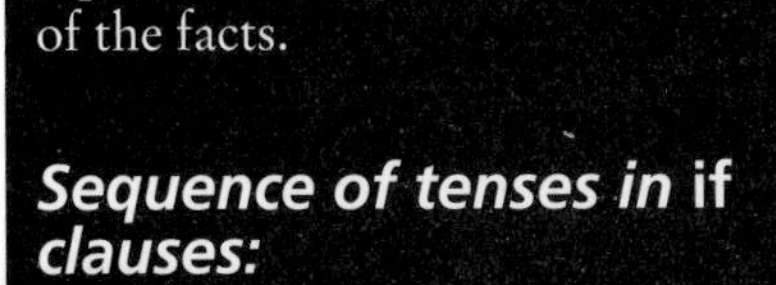

Sequence of tenses in if *clauses:*

1. **If + present → future** e.g. If it's fine, I'll go out. (*S'il fait beau, je sortirai.*)
2. **If + imperfect → conditional.** e.g. If it was fine, I'd go out. (*S'il faisait beau, je sortirais.*)
3. **If + pluperfect → past conditional.** e.g. If it had been fine, I would have gone out. (*S'il avait fait beau, je serais sorti.*)

le pou (les poux) nit(s)

Comportant deux temps, le conditionnel exprime d'habitude une action éventuelle ou dépendant d'une condition.

Conditionnel présent
Je *serais* content si j'avais une soeur.

Conditionnel passé
J'*aurais été content* si j'avais eu une soeur.

- Dans cet extrait de *Rendez-moi mes poux* de Pef, nous voyons les parents de Mathieu imaginer ce qui arriverait s'il avait une petite soeur.

La condition: *Si Mathieu avait une soeur…*
Le fait éventuel: *il pourrait jouer avec… je serais obligée de m'arrêter de travailler… on ne pourrait plus payer le loyer*

A leur retour, tard le soir, ils trouvaient souvent Mathieu endormi parmi ses jeux vidéo ou électroniques. Il en avait trente-huit, plus tous ceux qu'il empruntait à ses copains.

— Il *lui faudrait* une petite sœur, suggérait son père. Il *pourrait* jouer avec.

— Pas question, répliquait sa mère, je *serais* obligée de m'arrêter de travailler, et on *ne pourrait* plus payer le loyer de l'appartement.

— Ah! disait le père.

Activité 1
Les exemples ci-dessus sont au conditionnel présent. En employant le conditionnel présent, continuez les paroles de la mère de Mathieu, **ex:** *Si nous avions deux enfants nous ne* ***partirions*** *pas en vacances tous les ans* [partir].

1. L'appartement ____ [être] trop petit.
2. On ____ [devoir] mettre un lit d'enfant dans notre chambre.
3. On ne ____ pas [pouvoir] acheter une nouvelle voiture. Les enfants se ____ [se disputer].
4. Mathieu ne lui ____ [prêter] pas ses jeux vidéo.

La concordance des temps avec *si*

1	**futur** Tu ***seras*** content	si	**présent** tu ***as*** une soeur.
2	**conditionnel présent** Tu ***serais*** content	si	**imparfait** tu ***avais*** une soeur.
3	**conditionnel passé** Tu ***aurais été*** content	si	**plus-que-parfait** tu ***avais eu*** une soeur.

Activité 2
En faisant très attention à la concordance des temps, ajoutez le verbe aux phrases suivantes:

1. Si le père de Mathieu avait insisté, sa femme ____ [être] mécontente.
2. Mathieu ____ [continuer] à dormir devant la télé si ses parents n'étaient pas revenus.
3. Heureusement, Mathieu trouve qu'il a des poux qui deviennent ses copains. Si sa mère le savait elle ____ [être] épouvantée.
4. Elle l'____ voir [emmener] l'infirmière si elle les trouve.

conditionnel 2

Il ne vous est jamais arrivé de vous sentir découragée?

J.H. Je *mentirais* si je disais non. Jamais Stephen n'a pu m'aider pour changer les enfants quand ils étaient bébés. Ni pour les sortir, les faire jouer. Il ne pouvait pas non plus m'aider pour la maison, et j'avais donc tout à gérer: les enfants, la vie pratique d'une famille, le travail. Parfois il m'est arrivé de penser que je ne *pourrais* pas aller plus loin, mais je sais que Stephen en a aussi souffert. Et puis, en définitive, *qu'aurais-je fait* de ma vie si je n'avais pas rencontré Stephen? La sempiternelle question: «Si c'était à refaire», je refuse de me la poser. D'ailleurs, Stephen vous *dirait* que le temps ne marche pas à l'envers!

● Lisez cet extrait d'un entretien avec Jane Hawking, l'ancienne femme de Stephen Hawking, l'astrophysicien qui quoique souffrant d'un maladie neurologique incurable a écrit *Une brève histoire du temps.* (*Elle*) Regardez-y les exemples du conditionnel. *

Activité 3

1 Cherchez dans le texte les mots français pour:
  a What would I have done with my life?
  b Stephen would say that time doesn't go backwards.
  c I'd be lying if I said no.
2 Elle refuse de se poser la question: «Si c'était à refaire». En employant le passé du conditionnel, écrivez la réponse à la question: «Si c'était à refaire» par rapport:
  a aux matières que vous avez choisies pour les examens.
  b à la manière dont vous avez passé la journée d'hier.

le conditionnel: emploi particulier

● Le conditionnel s'emploie pour parler d'un événement quand le journaliste ne peut pas totalement affirmer une information.

Regardez cet article. Il s'agit de Sophie, punie par ses parents. Le journaliste n'est pas sûr de ce qui est arrivé; il emploie le conditionnel pour exprimer ses suppositions, exemple: *Sophie se serait récemment rendue coupable.* (*le Monde*)

Une adolescente marseillaise vivait dans un débarras depuis plusieurs semaines

MARSEILLE

de notre correspondant

Alertés par une dénonciation anonyme, les policiers de la brigade des mineurs de la sûreté urbaine marseillaise ont mis fin à la « punition » de Sophie, quinze ans, que ses parents obligeaient à vivre, depuis plusieurs semaines, dans un débarras de l'appartement que la famille de la jeune fille occupe dans une cité HLM du quartier nord de Marseille. Dans le petit local de trois mètres carrés, les enquêteurs ont découvert un matelas posé sur une planche, une assiette et des couverts ainsi qu'un seau hygiénique. Sophie, dont le père est sans emploi et dont la mère travaille dans une entreprise de nettoyage, ne fréquentait aucun établissement scolaire et prenait des cours par correspondance.

D'après les premiers éléments de l'enquête, *il semblerait que* l'on se trouve, non pas en présence de sévices caractérisés, mais d'une conception particulièrement sévère de l'éducation. Sophie se serait récemment rendue coupable de menus larcins dans des grandes surfaces, et ses parents auraient voulu lui donner une « leçon » dont elle garderait le souvenir. La jeune fille n'a été ni battue, ni mal nourrie. Elle semblait même accepter son sort et ne s'est jamais plaint à quiconque. Des témoins affirment qu'elle sortait tous les jours ses chiens en promenade, après quoi, elle regagnait elle-même sa « niche».

Les parents de Sophie ont été placés en garde à vue.

JEAN CONTRUCCI

D'après... il semblerait que... (According to... it would appear that...)

Activité 4

1 Relevez les exemples du conditionnel.
2 Donnez deux exemples des faits dont le journaliste est certain.

Activité 5

Dans ce récit (*Ouest France*) changez les verbes en italiques au conditionnel afin de rendre le lecteur moins sûr que ce soit une histoire vraie.

Un clochard à l'hôtel Normandy

DEAUVILLE — Un marginal de la région parisienne *a tenté* de s'approprier une chambre de l'hôtel Normandy, à Deauville. Débarqué à la gare dans la soirée, après un trajet effectué sans billet, l'homme *est entré* à l'hôtel et, trouvant une clé de chambre, *est monté* à l'étage pour y pénétrer. Confondu par sa tenue négligée qui tranchait avec celle des clients habituels, *il a été* livré par le personnel au commissariat de police.

* Vous trouverez le vocabulaire de cette page à la page 59.

conditionnel 3

Vocabulaire de la page 58

sempiternel eternal

le débarras glory hole
HLM (habitation à loyer modéré) low rent housing
le local room
le seau bucket
d'après according to
l'enquête (f) enquiry
les sévices cruelty, ill treatment
coupable guilty
le menu larcin (m) petty larceny (theft)
les (magasins) à grandes surfaces supermarkets

le marginal person living on the fringe of society
la tenue dress
trancher to contrast

Formes du conditionnel

Conditionnel présent:

Tous les groupes: le radical est celui du futur. Les terminaisons sont: **-rais, -rais, -rait, -rions, -riez, -raient.**

	verbes en **-er**	verbes en **-ir**	verbes en **-re**
je	parler***ais***	fini***rais***	vend***rais***
tu	parle***rais***	fini***rais***	vend***rais***
il, elle, on	parle***rait***	fini***rait***	vend***rait***
nous	parle***rions***	fini***rions***	vend***rions***
vous	parle***riez***	fini***riez***	vend***riez***
ils, elles	parle***raient***	fini***raient***	vend***raient***

Exemples des verbes irréguliers:

avoir: le radical du futur est ***au*** donc le conditionnel est ***aurais***
être: le radical du futur est ***se*** donc le conditionnel est ***serais***
aller: le radical du futur est ***i*** donc le conditionnel est ***irais***
venir: le radical du futur est ***viend*** donc le conditionnel est ***viendrais***

Exemple: ***J'irais*** à l'Euro Disneyland et tu ***pourrais*** m'accompagner si j'étais riche.

Conditionnel passé:

Le conditionnel présent du verbe auxiliaire (avoir/être) + le participe passé.

Exemples:
*j'**aurais** parlé, j'**aurais** fini, j'**aurais** vendu*
*je **serais** entré(e), je **serais** sorti(e), je **serais** descendu(e)*
*je **me serais** levé(e), je **me serais** endormi(e), je **me serais** étendu(e)*

● A gauche vous trouverez ce que Claude Montana at Jean-Paul Gaultier, des couturiers connus, répondent à cette question.

AIMERIEZ-VOUS FAIRE DE LA HAUTE COUTURE?

(Elle)

Claude Montana
«Dans l'idée j'aimerais bien. Une fois, rien qu'une fois! Une collection couture qui serait vendue au profit d'une œuvre humanitaire...»

Jean-Paul Gaultier
«J'aurais aimé faire une collection de haute couture, une fois. *C'eût été* génial de la part de la maison Patou (où j'ai travaillé), qui n'était pas prisonnière d'une image de marque très forte, de proposer à chaque créateur de prêt-à-porter de réaliser, chacun son tour, une collection. Les créateurs auraient donné un maximum d'énergie. *Ç'aurait été*, pour moi, un moment très fort.»

le couturier fashion designer
la haute couture fashion
génial (fam.) nice
le prêt-à-porter off-the-peg fashion

A noter

Les deux formes ***eût été*** et ***aurait été*** expriment le conditionnel passé: ***eût été*** = subjonctif plus-que-parfait.

Cette forme se voit à l'écrit mais s'emploie assez rarement. En lisant maintenant, notez-en d'autres exemples.

depuis

Depuis **+ present tense** in French expresses **has been** (and still is).

Depuis **+ imperfect tense** in French expresses **had been** (and still was).

depuis 1936 (since 1936)
depuis toujours (forever)
depuis deux mois (for two months).

Depuis indique la durée: depuis le début juillet
depuis un mois
depuis toujours.

Le présent ou l'imparfait s'emploie *si l'action continue ou continuait* toujours.

Dans *le Monde* du 6.8.90, on parle de la chaleur:

La canicule en Europe

Depuis trois ou quatre jours le thermomètre monte de plus en plus haut, bien au-dessus de 30°C. Mais sans que les records absolus locaux soient encore battus.

Le thermomètre a commencé à monter le 2 août et, le 6 août, il monte toujours; cela continue.

La France et une partie de l'Europe sont accablées de chaleur, laquelle est accompagnée du cortège classique d'incendies, d'insolations et d'accidents de montagne. En France, depuis le 12 ou le 13 juillet, les températures ont été presque partout très supérieures aux moyennes trentenaires dites «normales» (*le Monde* du 2 août), même si, depuis lors, leurs courbes ont dessiné des dents de scie.

Les températures ont été supérieures - mais on ne dit pas qu'elles le sont toujours.

la canicule scorching heat, heat wave
accablé de prostrated by
la chaleur heat
l'insolation (f) sun stroke
depuis lors since then

Activité 1

Depuis peut aussi s'exprimer par ***voilà... que, ça fait... que, il y a... que.*** Ecrivez de nouveau les phrases suivantes en employant ***depuis***.

Exemple:
Voilà trois jours qu'il fait chaud.
Il fait chaud depuis trois jours.

1. Voilà trois jours que le thermomètre monte.
2. Il y a trois jours que la France est accablée de chaleur.
3. Voilà un mois déjà que la sécheresse menace les forêts.
4. Au début des années 70 la région sahalienne manquait d'eau. Elle vit toujours dans ce manque.

Et à l'imparfait:

5. Voilà des années qu'ils avaient peur des incendies.
6. Ça faisait vingt ans qu'ils manquaient d'eau.

devoir

Devoir: when not followed by infinitive means **to owe.**

Devoir: followed by the infinitive. Care must be taken in choosing the correct tense.

Present: *je dois obéir* (I must, I've got to)

Imperfect: *je devais* (I had to)

Also, **I was to** e.g. *Charlotte Brontë devait écrire des romans inoubliables.*

Perfect: *j'ai dû* (I had to, I must have been)

Past historic: *je dus* (I had to)

Future: *je devrai* (I shall have to)

Conditional: *je devrais* (I should, I ought to)

Past conditional: *j'aurais dû* (I should have)

se bousculer to jostle one another
le marron (d'Inde) chestnut, conker
le caillou stone, pebble
la bille marble
gêner to bother

- Une réunion coopérative de l'école Jean-Zay de Limoges a rédigé un certain nombre de règles de vie:

Pour vivre ensemble, il faut élaborer des règles

Respecter les autres

1.1. Ne pas se bousculer
- **1.1.1.** Les grands ne bousculeront plus les petits.
- **1.1.2.** Les petits feront très attention à ne pas gêner leurs camarades.

1.2. Éviter les jeux dangereux
- **1.2.1** Ne pas se suspendre aux installations sportives de la cour.
- **1.2.2.** Ne pas lancer des marrons ou des cailloux.
- **1.2.3.** Ne pas courir dans les couloirs ou les blocs sanitaires.
- **1.2.4.** Ne pas jouer aux billes à proximité du compteur d'eau.

1.3. Ne pas gêner les autres
- **1.3.1.** Nous ne ferons pas de bruit dans le couloir.
- **1.3.2.** Nous tiendrons notre école propre:
  — ne pas jeter de papiers dans la cour
  — actionner la chasse d'eau des w.-c.
- **1.3.3.** Nous remettrons le matériel collectif emprunté à sa place.

1.4. Respecter la nature autour de nous
- **1.4.1.** Ne pas marcher, ni jouer sur la pelouse.
- **1.4.2.** Ne pas arracher les feuilles des arbres.

Ces règles pourraient s'exprimer ainsi:
1.1.1. Les grands ne doivent plus bousculer les petits.
1.3.1. Nous ne devons pas faire de bruit dans le couloir.

Activité 1

Le verbe ***devoir*** suivi de l'infinitif fait supposer une obligation. En employant ***devoir*** et en suivant les exemples ci-dessus, exprimez de nouveau les règles, **1.1.2., 1.2.2., 1.2.3., 1.2.4., 1.3.2., 1.4.2.**

Activité 2

Certains élèves ne respectent pas ces règles. Il faut trouver des solutions et même parfois imposer des sanctions.

Exemple: *Celui qui n'a pas rangé ses chaussons, le soir, devra s'assurer, le lendemain, que tous ses camarades rangent bien les leurs.*

Inventez d'autres sanctions, en employant ***devoir*** au futur:

1 Celui qui abîme le travail d'un copain...
2 Celui qui n'a pas remis ses livres à leur place...
3 Ceux qui ont oublié de nettoyer la cage du cobaye...

Activité 3

Si l'enfant puni se plaint, nous pourrions lui dire: *Tu aurais dû ranger tes chaussons.* Que dirions-nous à celui qui avait:

1 abîmé le travail
2 oublié de ranger ses affaires
3 négligé le cobaye?

Activité 4

Devoir peut exprimer aussi le destin.

Exemple: *Napoléon devait être vaincu par Wellington.*

Quel était le destin des personnages suivants?

1 Hamlet
2 Madame Thatcher
3 De Gaulle
4 Marilyn Monroe
5 Nelson Mandela
6 J. F. Kennedy.

dont, duquel, de qui 1

Dont, (whose, of/about/whom/which) is a relative pronoun referring to persons or things. Unlike ***duquel,*** it does not agree with the antecedent. Care must be taken with word order.

Dont: pronom relatif invariable s'applique à des personnes ou des choses.

Duquel, de laquelle, desquels, desquelles: pronoms relatifs s'accordant en nombre et en genre avec le mot/les mots qu'ils reprennent (c'est-à-dire leur antécédent). Ils s'appliquent d'habitude à des choses et s'emploient à la place de ***dont*** quand l'antécédent est relié au verbe par une locution prépositionnelle.

Exemple: *la route* ***au milieu de*** *laquelle était couché un chat.*

l'antécédent — *locution prépositionnelle* — *relatif s'accordant avec la route*

De qui: pronom relatif invariable ne s'applique qu'aux personnes. S'emploie toujours quand le pronom relatif commence une question.

Exemple: *de qui parlez-vous?*

● Regardez cet extrait du *Monde* du 23.8.90 où le reporter décrit l'incendie à Marseille et l'évacuation des habitants:

MARSEILLE

de notre correspondant régional

De violents incendies ont éclaté mardi 21 août dans les Bouches-du-Rhône et le Var où ils ont parcouru près de 9 000 hectares et détruit une quinzaine de maisons. Ils étaient contenus, mais pas maîtrisés mercredi matin. Le plus grave de ces incendies s'est déclaré au milieu de l'après-midi dans les quartiers sud de Marseille et s'est propagé en quelques heures vers la commune de Cassis, où deux mille personnes ont dû être évacuées, *dont quatre cents* par la mer.

Malgré leurs efforts, les marins-pompiers de Marseille, étaient aussitôt débordés. En raison de fortes turbulences réduisant l'efficacité des largages, l'appui de la flotte des bombardiers d'eau de la base de Marignane — dix appareils, *dont le nouveau Hercules C-130* — devait se révéler lui aussi impuissant.

Dans tous les quartiers sud de Marseille, une épaisse fumée noire obscurcissait le ciel et provoquait l'affolement des habitants *dont une centaine* étaient évacués, souvent de force.

GUY PORTE

le pompier fireman
débordé unable to cope
le largage dropping off supplies, in this case, water
la flotte fleet
le bombardier d'eau aircraft aiming to drop water
affolé in a panic

2 000 personnes ont été évacuées.
400 de ces personnes ont été évacuées par la mer.
2 000 personnes ont été évacuées dont...
Dont représente **de ces personnes.**

10 appareils sont venus de Marignane.
le Hercules fait partie de ces appareils.
10 appareils dont le nouveau Hercules...
Dont représente **de ces appareils.**

Des habitants étaient affolés.
Une centaine de ces habitants étaient évacués.
Des habitants dont une centaine...
Dont représente **de ces habitants.**

Activité 1

Faites une phrase des deux suivantes, en employant ***dont.***

Faites attention à cet ordre: **1** antécédent **2** dont **3** subordonnée relative.

Exemple: *cent personnes ont été évacuées. Cinquante personnes âgées ont été évacuées. → Cent personnes, dont cinquante personnes âgées, ont été évacuées.*

N.B. Quelquefois, dont peut se traduire par including. J'ai vu des personnes évacuées dont ma mère.

1 De violents incendies ont éclaté mardi. Un de ces incendies a éclaté près de Cassis.
2 Plusieurs personnes ont été évacuées. De toutes ces personnes celle qui était la plus âgée a dû être transportée à l'hôpital.
3 Les bombardiers d'eau sont venus de Marignane. Le plus puissant de ces avions est le nouveau Hercules.
4 Des incendies n'ont pas été maîtrisés. Le plus grave de ces incendies a détruit des maisons.
5 Une maison a été brûlée. Les volets de la maison brûlée étaient bleus.

dont, duquel, de qui 2

Care must be taken with verbs like *se souvenir de, avoir besoin de, s'occuper de.*

Note the use of ***dont***: *Il a besoin d'un ami. L'ami dont il a besoin, c'est moi.*

L'emploi de ***dont*** avec les verbes comme *avoir besoin de, se souvenir de.* **Dont** remplace un nom précédé de ***de***.

Exemple: *L'hôtel est à Marseille.*
Je me souviens **de** *cet hôtel.*
L'hotêl **dont** *je me souviens est à Marseille.*

Activité 2

Suivant cet exemple faites une phrase des deux suivantes:

1 Les personnes évacuées étaient affolées.
Elle s'est occupée des personnes évacuées.
2 Les bombardiers venaient de Marignane.
Les pompiers se servaient des bombardiers.
3 La flotte est basée à Toulon.
On avait besoin de la flotte.
4 Cet incendie était effrayant.
Ils se souviendront toujours de cet incendie.

L'antécédent du pronom relatif est relié au verbe par une préposition. Dans ce cas, il faut employer ***duquel/de laquelle/desquels/desquelles*** au lieu de ***dont.***

- Ce paragraphe commence la description d'une communauté de colons israéliens de Cisjordanie. (*L'Événement du Jeudi*)

De notre envoyé spécial

La lumière rasante du soleil couchant sur la rocaille, le sifflement du vent, le chant des oiseaux. Les rires des enfants, les toits rouges bien alignés, les pelouses fleuries, *les tables de jardin auprès desquelles traînent des tricycles et des jouets...*

desquelles s'accorde avec tables

Activité 3

Changez les phrases en employant un pronom relatif.

Exemple:
1 a *Les gardes armés sont à côté des balançoires.*
b *Les balançoires, à côté* **desquelles** *sont les gardes armés.*

Commencez la phrase par les mots en italiques.

1 La communauté des colons israéliens se trouve à côté du *village palestinien.*
2 L'école se trouve au milieu de *la communauté d'Ofra.*
3 Les gardes protègent les enfants à l'aide des *pistolets.*

Activité 4

Ajoutez les pronoms relatifs: choisissez entre ***dont, de qui, duquel, de laquelle, desquels, desquelles.***

Au centre du village se trouve une école ___[1] l'instituteur est colon israélien. Dehors jouent les gosses près ___[2] se tiennent les gardes armés de pistolets. Ils doivent protéger les colons à cause de la guerre des pierres. Les Palestiniens ___[3] les villages sont tout proches n'acceptent pas la présence des Israéliens dans les territoires occupés. Aliza habite à Offra. ___[4] parle-t-on? Aliza est fille d'un rabbin de Texas. Son mari et ses enfants ___[5] elle s'occupe sont arrivés en Israël en 1979.

en: préposition

La préposition ***en*** n'est pas suivi de *le, la, l', les* sauf par exemple dans l'expression *en l'air.*

Lieu: devant les noms féminins de pays et de provinces, de grandes îles européennes: *en France, en Bretagne, en Corse. Il est allé en France et puis il en est revenu. En ville.*

Temps: *en janvier, en 1992, en hiver, en été, en automne.*

Durée: *On voyage de Londres à Paris en moins de deux heures.*

Transport: *en avion, en voiture, en bus.*

Vêtements: *en robe de chambre.*

Matière: *en métal.*

Participe présent: avec le participe présent exprimant la simultanéité: *Revenant en sifflant...*

N.B. *en français, en forme, en sixième...*

- Le roman de Roger Vailland, *Un jeune homme seul* commence avec la description d'un garçon rentrant chez lui à bicyclette.

  Les groupes de mots commençant par ***en*** n'y sont plus. Remplacez-les en choisissant parmi la liste suivante:

Activité

1 en sept minutes
2 en trois phases
3 en arrière
4 en utilisant l'accès
5 en ruine
6 en voltige
7 en forme
8 en métal chromé
9 en sens inverse
10 en écharpe
11 s'en recoiffe. *(voir page 65)*

Eugène-Marie Favart, élève de seconde au lycée de Reims, rentre chez lui à bicyclette, un après-midi de mai 1923. Il vient de dépasser l'octroi de la route de Laon et aperçoit déjà, entre deux maisons ____[1], la villa de ses parents. Sans ralentir le train, il interroge à son poignet le chronomètre d'acier chromé, cadeau de première communion. Il a fait le chemin, depuis le parvis de la Cathédrale, ____[2] vingt-deux secondes. «Je suis ____[3]», pense-t-il. Son style lui impose maintenant de passer sans ralentir sur le trottoir, ____[4] d'un chantier voisin, puis de sauter ____[5] et sans avoir touché le frein, juste sur le seuil de la maison. Le mouvement se décompose ____[6]. D'abord: appuyer sur la gauche, ensuite...

Un cycliste arrive ____[7], à grande allure, courbé sur un guidon de course. Il fait un écart, évite Eugène-Marie, mais ne parvient pas à redresser; la roue avant prend le trottoir ____[8], l'homme s'envole par-dessus le guidon et atterrit sur un tas de gravier. Eugène-Marie bloque les freins et saute à terre, sans voltige.

L'homme s'est déjà relevé. Il a du sang sur le front. Il passe la main sur le front; il n'y a pas beaucoup de sang sur la main, qu'il essuie sur son pantalon de velours. Il va ramasser sa casquette qui a volé de l'autre côté du tas de gravier, et ____[9], tout à fait sur le côté et ____[10], «c'est à cause de la blessure», pense Favart. Puis l'homme se penche sur son vélo, qui est couché dans le caniveau, un vélo de prix, avec un cadre ____[11] et des garde-boue de bois verni. La roue avant, à jante de bois, s'est cassée sous le choc.

en voltige trick riding
en sens inverse coming from the other direction
en écharpe at an angle
le poignet wrist
le parvis cathedral square
à grande allure very fast
le guidon de course handlebars of a racing bicycle
le caniveau gutter
le cadre frame
le garde-boue mudguard

En (of it, of them, some), is placed after the verb in positive commands, before the verb in negative commands: e.g. *Mangez-en! N'en mangez pas.*

En is placed last in a sequence of pronouns: *Ne nous **en** parlez pas. Elle leur **en** a donné.*

See also page 113.

There is no agreement between *en* and the past participle.

En, pronom invariable, est obligatoire quand il remplace un nom précédé de *un*, un numéro ou un mot exprimant une quantité:

Si l'impératif est positif, ***en*** se place après le verbe. Sinon, le pronom vient avant le verbe et, s'il y a plusieurs pronoms personnels, ***en*** se place en dernier. S'il y a deux verbes, ***en*** se place devant l'infinitif. Il n'y a pas d'accord entre ***en*** et le participe passé:

*N'**en** prenez pas trop. Je lui **en** donne deux. Je ne lui **en** donne pas beaucoup. Je veux **en** prendre quelques-uns. Elles n'**en** ont pas mangé.*

Activité 1

Remplacez les mots en italiques par ***en.***

Exemple: *On ne fait qu'une bouchée* **de ces petits fromages.** *On n'en fait qu'une bouchée.*

1 Papa, prenez un *fromage.*
2 Je ne veux pas manger trop *de fromage.*
3 Donnez un peu *de fromage* à tes frères.
4 Ils ont déjà mangé assez *de fromage.*

Activité 2

En remplace le nom précédé par ***du, de la, des:***
*Tu veux **du** fromage? Merci, j'**en** ai pris.*
Remplacez les mots en italiques par ***en.***

Exemple: Il n'y a pas *de pain.* Il n'y ***en*** a pas.

1 Il n'y avait plus *de camembert.*
2 Il ne mange jamais *de soupe.*
3 Qui veut *des bonbons?*

Activité 3

J'en ai rêvé, Sony l'a fait.

Ex: ***En*** remplace un nom précédé de la préposition *de. Je rêve d'une caméra Sony. Moi aussi, j'**en** rêve.*

Remplacez les mots en italiques par ***en.***

Exemple: J'ai besoin *d'argent.* J'***en*** ai besoin.

1 Tu as envie *de ces boucles d'oreilles?*
2 Je ne m'occupe pas *des biens matériels.*
3 Elle se souvient *du cadeau qu'on lui a offert.*
4 Nous n'avons pas besoin *de tous ces objets.*

futur simple 1

The ***futur simple*** is the *future tense* proper, e.g. *I shall watch T.V.*

In French, future events can also be described using the *immediate future* (***futur proche***): see ***aller + infinitif*** *(page 44)*.

En français, comme en anglais, il y a deux moyens principaux d'exprimer une action future: ***le futur simple*** et ***le futur proche***. (Voir aussi ***aller + infinitif*** (***le futur proche***), page 44.)

- Dans le roman de Roger Vailland *Un jeune homme seul*, Eugène-Marie Favart, élève de seconde au lycée de Reims, n'a pas d'expérience des filles, ce qu'il regrette beaucoup! Il passe son temps à regarder des filles dans la rue, et à imaginer de futurs contacts avec elles. Mais puisque ces contacts ne sont que des rêves, des fantasmes, il est obligé d'*anticiper*, de *prédire* comment les choses vont se passer. Ce sont des rêves qui n'appartiennent ni au passé, ni au présent, mais au *futur*.

Il *hâtera* le pas, la *dépassera* et *marchera* un moment devant elle, pour qu'elle ait le temps de s'apercevoir qu'il n'est pas habillé comme un ouvrier. Elle *devinera* à l'étroitesse de ses pantalons, qu'il est étudiant. Il est probable que les étudiants ont du prestige aux yeux des ouvrières.

Alors il *ralentira* le pas, elle *se trouvera* à sa hauteur et il lui *dira* quelque bêtise. Elle *répondra* de sa belle voix basse, elle *rira* de son beau rire, qui semble monter du fond du ventre. Rien qu'à imaginer cela, ses jambes tremblent. Il *faudra* qu'il arrive à dominer son émotion. «Vous êtes pâle, qu'avez-vous donc?» – «Je vous aime.» Non, il ne *faudra* pas commencer comme cela.

Ils *marcheront* côte à côte, en ralentissant le pas de plus en plus, ils *entreront* dans une impasse (il *faudra* qu'il parcoure demain à vélo tout le quartier derrière le terrain de football, pour trouver un chemin se terminant en impasse). Il *l'aura* disposée favorablement à son égard, en lui racontant que son père est ingénieur et que sa famille habite une des belles villas de l'avenue de Laon… «Nous *arriverons* au fond de l'impasse; *j'aurai* encore ralenti le pas et je *me trouverai* en arrière d'elle; elle *se retournera* et m'*attendra* en riant, appuyée contre le mur du fond de l'impasse; je m'*avancerai* et je la *serrerai* contre le mur du fond de l'impasse; elle *rira* plus fort…»

Tous les verbes en italiques sont au futur.

le fantasme fantasy
l'étroitesse (f) tightness, narrow cut
ralentir le pas to slow one's steps
appuyé leaning

Activité 1

Faites une liste des infinitifs des verbes en italiques dans l'extrait ci-dessus.

futur simple 2

Pour former le futur

La forme du *futur* se compose d'un *radical* + *terminaison.*

Pour le radical:

verbes en *-er* et *-ir* on prend *l'infinitif entier.*
verbes en *-re*, on enlève le *-e* final de l'infinitif:

quelques petites exceptions!
– appeler = appell...
– acheter = achèt...

infinitif	radical du temps futur
march*er*	march*er*...
se trouv*er*	se trouv*er*...
ralent*ir*	ralent*ir*...
répond*re*	répond*r*...

Pour la terminaison:

personne	terminaison
je	**...ai**
tu	**...as**
il / elle / on	**...a**
nous	**...ons**
vous	**...ez**
ils / elles	**...ont**

Notez comment ces terminaisons ressemblent aux formes du verbe avoir au présent.

Le futur en action:

personne	radical	+	terminaison	
Il	hât*er*...		*a*	*Il hâtera le pas...*
Ils	march*er*...		*ont*	*Ils marcheront côte à côte...*
Je (...)	serr*er*...		*ai*	*... je la serrerai contre le mur...*

En ce qui concerne les *terminaisons*, il n'y a pas d'exceptions.
En ce qui concerne le *radical*, il faut apprendre par coeur, et par la pratique.
Voici les exceptions:

infinitif	radical du futur
aller	ir...
s'asseoir	s'assiér...
avoir	aur...
courir	courr...
devoir	devr...
envoyer	enverr...
être	ser...
faire	fer...
falloir	faudr...
pleuvoir	pleuvr...
pouvoir	pourr...
recevoir	recevr...
savoir	saur...
valoir	vaudr...
venir	viendr...
(revenir)	(reviendr...)
(devenir)	(deviendr...) etc.
voir	verr...
vouloir	voudr...

futur simple 3

Activité 2

Une vingtaine d'années plus tard, Eugène-Marie fait partie de la résistance française contre les nazis.

Remplissez les blancs, en conjuguant au temps futur les infinitifs dans la liste à gauche:

les infinitifs

1 *aller*
2 *arriver*
3 *partir*
4 *changer*
5 *rejoindre*
6 *prétendre*
7 *expliquer*

la tâche job, task

A Grenoble elle avait un contact. Domenica partirait le soir même pour Grenoble.

– ... Mais il faut prendre garde qu'on ne te suive pas au départ.

– J'____[1] à bicyclette.

– Combien de kilomètres?

– Cent vingt. J'____[2] demain matin.

– Je ____[3] cette nuit pour Paris, dit Eugénie Favart, mais je ____[4] de train à Lyon et je te ____[5] demain matin à Grenoble.

Elles décidèrent de ne pas prévenir Eugène-Marie, non par manque de confiance, mais parce qu'il discuterait, il discutait toujours:

– ... Et puis, dit Domenica, il voudrait absolument faire quelque chose pour moi. Il ____[6] d'être encore rejeté hors de la communauté, si je ne lui demande rien. Je ne peux pas lui inventer une tâche, dans le seul but qu'il puisse se prouver à soi-même son courage.

– Je lui ____[7], dit la vieille femme.

Activité 3

Eugène-Marie perd courage, et imagine qu'après tout les filles ne s'intéresseront pas à un garçon bourgeois comme lui. La rencontre finira plutôt mal. La jeune fille se moquera de lui.

1 Dans le passage qui suit, cherchez et notez tous les verbes au temps futur, avec leur infinitif.
2 Notez les futurs irréguliers.

«Elle me clouera sur place d'une plaisanterie mauvaise, gémit Eugène-Marie. Elle aime les garçons qui savent courir sur les toits, grimper sur des échafaudages, conduire des poids lourds, forger dans le feu les barres d'acier, dont la tête ne tourne pas quand ils ont bu un Pernod et qui répondent par une insolence à ses insolences. Etudiant. Elle me renverra à l'école, à mon père malingre, à ma mère à chapeau, à ma maison particulière, où l'on ne partage jamais le repas avec personne. Mais supposons même qu'elle accepte que je lui parle; je serai obligé de lui offrir l'apéritif, dans un de ces bistrots du bord du canal, qui ne sont fréquentés que par des ouvriers; je me sentirai gauche, je n'ai pas l'habitude d'aller dans des endroits de ce genre; les ouvriers s'en apercevront, ils se moqueront de moi, et je ne saurai pas répondre à leurs plaisanteries; quand je parle argot, tout ce que je dis sonne faux. Et si elle réclame un second verre, je ne pourrai pas lui offrir; ma mère ne me donne que deux francs par semaine d'argent de poche, parce qu'elle est avare, et parce qu'elle a peur que je me laisse entraîner dans des mauvais lieux par mes camarades. Mes parents me traitent comme un enfant. La fille dira: «Regardez donc ce môme. On lui presserait le nez, il en sortirait encore du lait. Et ça ose aborder une femme dans la rue! Rentre vite chez ta maman. Elle te grondera si tu arrives en retard.» Et ma mère me grondera en effet si j'arrive en retard. Elles auront toutes les deux raison, la fille et ma mère. On reste un enfant tant qu'on ne gagne pas sa vie. Quand je n'ai pas appris ma leçon, je rougis devant mon professeur. Une fille ne peut pas se donner à un garçon qui rougit devant un maître d'école. Et cela durera tant que je ne gagnerai pas ma vie. Je devrai mendier chaque centime d'argent de poche, tant que je ne serai pas sorti de Centrale ou de Polytechnique. Non. Je ne veux pas de cela. Je ne veux plus aller au lycée. Je veux travailler tout de suite. Demain matin, au lieu d'aller au lycée, j'irai faire le tour des bureaux d'embauche...»

clouer quelqu'un sur place to stop someone dead in his tracks
l'échafaudage scaffolding
l'argot (m) slang
sonner faux ring false, come out all wrong
gronder quelqu'un to tell someone off
mendier to beg
Centrale... Polytechnique two of the most prestigious university colleges of Paris
le bureau d'embauche employment exchange (i.e. job centre)

Activité 4

Mettez-vous à la place d'Eugène-Marie. Composez *une liste de bonnes résolutions* qui assureront votre succès auprès des jeunes filles. Par exemple:

1 Demain, je dirai «bonjour» à la première fille à sortir de l'usine...

imparfait 1

The imperfect tense describes:

a actions which happened habitually in the past: *Il voyait Barbara tous les jeudis* (He would see her/he used to see her every Thursday);
b events which were happening during which time other actions began and were completed: *Il pleuvait quand il a vu Barbara* (It was raining when he saw Barbara);
c the state or condition of things or people during time past: *Barbara était belle* (Barbara was beautiful).

L'imparfait, un temps du passé, exprime:

a l'habitude: *Il la **voyait** régulièrement*;
b les actions en cours: *Il **pleuvait** quand il l'a vue*;
c le cadre, les circonstances: *Elle **était** ravissante.*

● Regardez cet extrait de *Barbara* de Prévert:

Rappelle-toi Barbara
Il pleuvait sans cesse sur Brest ce jour-là
Et tu marchais souriante
Épanouie ravie ruisselante
Sous la pluie
Rappelle-toi Barbara
Il pleuvait sans cesse sur Brest
Et je t'ai croisée rue de Siam
Tu souriais
Et moi je souriais de même
Rappelle-toi Barbara
Toi que je ne connaissais pas
Toi qui ne me connaissais pas
Rappelle-toi
Rappelle-toi quand même ce jour-là
N'oublie pas
Un homme sous un porche s'abritait
Et il a crié ton nom
Barbara
Et tu as couru vers lui sous la pluie
Ruisselante ravie épanouie
Et tu t'es jetée dans ses bras
Rappelle-toi cela Barbara

il pleuvait (action en cours) (il était en train de pleuvoir)

je ne te connaissais pas (circonstances)

épanoui beaming, (of a flower) blooming
ravi delighted
ruisselant dripping
croiser quelqu'un to meet someone, pass someone
s'abriter to shelter
l'arrière-plan (m) background

Dans ce poème Prévert dépeint une scène dans le passé. Pour la décrire, il emploie l'imparfait (il pleuvait, tu marchais, je souriais...); tout cela, c'est l'arrière-plan. Pour raconter les actions, il emploie le passé composé (tu as couru, tu t'es jetée...). Ces actions ont commencé et ont fini pendant qu'il pleuvait, pendant qu'ils souriaient.

● Et dans ce poème Prévert emploie le passé simple pour décrire les événements qui s'accomplirent *(il se leva et disparut)* dans le cadre de la description *(il faisait sombre).*

L'ÉCLIPSE

Louis XIV qu'on appelait aussi le Roi Soleil
était souvent assis sur une chaise percée
vers la fin de son règne
une nuit où il faisait très sombre
le Roi Soleil se leva de son lit
alla s'asseoir sur sa chaise
et disparut.

on l'appelait le Roi Soleil (circonstances)

était souvent assis (habitude)

il faisait sombre (circonstances)

imparfait 2

The imperfect tense is used to describe what used to be: *Il y a deux ans je **fumais** beaucoup, maintenant je ne fume guère.* (Two years ago I smoked a lot. Now I scarcely smoke at all.)

- Charlotte de Turkheim raconte comment elle a cessé de fumer. (*Elle*)

CHARLOTTE DE TURKHEIM

«Je fumais beaucoup et ça ne me réussissait pas. Je me réveillais le matin les paupières gonflées, le teint brouillé, un goût écœurant dans la bouche. Et puis quel esclavage! Lorsque j'étais à court de cigarettes, j'aurais fumé la moquette. Un jour, j'en ai eu marre d'en avoir marre. J'ai jeté mon paquet et ça a été fini. J'en ai fait une affaire de volonté, un test moral.»

avant je fumais beaucoup (imparfait)
I used to...
I would...
I was in the habit of...

un jour j'ai jeté mon paquet (passé composé)

la paupière eyelid
gonflé swollen
le teint skin, complexion
brouillé blotchy
en avoir marre to be fed up with

Activité 1

En employant l'imparfait et le passé composé faites des phrases pour décrire comment on a perdu une mauvaise habitude.

Exemple: *Maintenant, je mange très rarement les bonbons. Avant, je **mangeais** trop de bonbons entre les repas mais un jour j'ai eu très mal aux dents.*

1 Elle ne sèche jamais les cours.
2 Il se lève de bonne heure.
3 Nous ne buvons que l'eau.
4 Tu ne te ronges plus les ongles.
5 Je dis toujours la vérité.
6 Ils roulent lentement.

Activité 2

Ecrivez des phrases pour faire votre portrait en commençant par:

1 je suis
2 je suis
3 j'ai
4 j'ai
5 je sais
6 je sais
7 je vais
8 je dois
9 je crois
10 je déteste
11 je crois
12 je pense

Changez les phrases, employant l'imparfait pour vous décrire il y a dix ans.

The imperfect is used to describe what was happening while certain actions or events took place: *Quand j'ai commencé à lire cette page, mon frère **regardait** la télé, ma mère **parlait** au téléphone...* (When I began reading this page, my brother was watching the TV, my mother was talking on the phone...)

Les vacances du petit Nicolas (Sempé, Goscinny)

Activité 3

Cette image montre le petit Nicolas en colonie de vacances. Le chef a commencé à raconter une histoire aux enfants. Au moment où il a commencé les enfants étaient couchés, un garçon faisait des grimaces, deux autres se battaient, trois garçons regardaient le chef et il y en a un qui dormait.

En employant l'imparfait, décrivez ce qui se passait au moment où vous avez commencé à lire cette page.

Exemple: *le chat **dormait**, mon frère **était** assis devant la télé.*

imparfait 3

Formes de l'imparfait

Le radical de la première personne du pluriel du présent + *les terminaisons:* + ***-ais, -ais, -ait, -ions, -iez, -aient.***

Exemple:
radical: ***attend****[ons]*
terminaisons: ***-ais, -ais, -ait, -ions, -iez, -aient***
*j'attend**ais**, tu attend**ais**, il attend**ait**, nous attend**ions**, vous attend**iez**, ils attend**aient**.*

premier groupe

Exemple: *parler*

présent: parl***ons***

imparfait: je parl***ais***
tu parl***ais***
il parl***ait***
nous parl***ions***
vous parl***iez***
ils parl***aient***

deuxième groupe

Exemple: *finir*

présent: finiss***ons***

imparfait: je finiss***ais***
tu finiss***ais***
il finiss***ais***
nous finiss***ions***
vous finiss***iez***
ils finiss***aient***

troisième groupe (tous les autres)

Exemple: *s'asseoir*

présent: assey***ons***

imparfait: je m'assey***ais***
tu t'assey***ais***
il s'assey***ait***
nous nous assey***ions***
vous vous assey***iez***
ils s'assey***aient***

A noter

1 être: j'étais, tu étais, il était, nous étions, vous étiez, ils étaient

2 commencer: je commençais, tu commençais, il commençait, nous commencions, vous commenciez, ils commençaient

3 manger: je mang*e*ais, tu mang*e*ais, il mang*e*ait, nous mangions, vous mangiez, ils mang*e*aient

impératif 1

L'impératif est un mode* de verbe qui sert à exprimer un ***ordre***, ou une *recommendation*.

je	***nous***
tu	***vous***
il	ils
elle	elles

l'impératif n'existe que pour les personnes en italiques.

Normalement, lorsqu'on commande, on donne un ordre directement à une autre personne, ou à un groupe de personnes. Par conséquent, il existe un impératif qui correspond aux personnes ***tu*** et ***vous*** (deuxième personne du singulier, du pluriel). Pas de forme qui correspond à *je*, parce qu'on ne donne pas des ordres à soi-même! Mais il existe aussi un impératif qui correspond à la première personne du pluriel, ***nous***, car la personne qui donne les ordres doit quelquefois se compter parmi le groupe qui devrait les suivre!

* On doit faire attention en utilisant l'impératif, car il implique une supériorité sur les personnes adressées, et on risque ainsi d'être impoli.

Pour former l'impératif:

... de la deuxième personne du singulier:

(s'adresse à une seule personne qui est un familier de la personne qui parle)

même forme que la première personne du singulier du temps présent (***je***):

je regarde — je finis

formes de l'impératif de la deuxième personne du singulier

Exemple: ***Regarde*** *ce que tu fais!*
Finis *le gâteau si tu peux!*

Il y a quatre exceptions:

avoir: aie! — ~~j'ai~~
être: sois! — ~~je suis~~
aller: va! — ~~je vais~~ — *mais on dit «vas-y!»*
savoir: sache! — ~~je sais~~

... de la deuxième personne du pluriel:

(correspond à *vous* et s'adresse donc, ou bien à un individu à qui on dit *vous*, ou à un groupe)

même forme que la deuxième personne du pluriel du temps présent (*vous*), mais sans le *vous*, bien sûr.

Exemple: *«**Sortez** tout de suite de mon jardin!»*
*«**Remplissez** les trois cases!»*

... de la première personne du pluriel:

même forme que la première personne du temps présent:

nous regardons — nous finissons

formes de l'impératif de la première personne du pluriel

Il y a trois exceptions:

avoir: ayons!
être: soyons!
savoir: sachons!

Vocabulaire de la page 73

hebdomadaire weekly (magazine etc.)
le clapotis lapping
la pièce d'eau stretch of water
le point de repère landmark, familiar feature
la bouée buoy
gonflable inflatable
le bracelet armband
la seringue syringe
l'hydrocution (f) shock (on entering cold water)

Vocabulaire de la page 74

lâcher quelqu'un to let someone down
le boîtier camera body
le feutre noir black felt pad
la pellicule film
l'obturateur shutter
la bague ring
l'objectif lens
si infime soit elle however slight
le chiffon cloth
la soufflette puffer
la lentille convex lens
non-tissé lint free
le capot protecteur lens cap
la pile battery
truc (fam.) handy hint
le sac isotherme cool bag
les pellicules... vierges undeveloped film

impératif 2

● Lisez ce texte qui vient de l'hebdomadaire *Ici Paris*. L'auteur donne des recommendations, même des ordres ou des *commandements* aux parents qui surveillent leurs enfants sur la plage.*

Spécial Vacances Spécial Vacances Spécial Vacances Spécial Vacances Spécial Vacances Spécial Vacances Spécial Vacances Spécial Vacances

Les 10 commandements des parents à la plage

Vous passez vos vacances en famille. Quel plaisir de paresser sur la plage en écoutant au loin les rires de vos enfants! Mais attention!...

Le clapotis des vagues, la douce chaleur du soleil ne doivent pas vous endormir, car au bord de la mer, le drame peut surgir sans que l'on s'y attende. Voici donc les dix commandements des parents vigilants.

1 ***Ne laissez jamais*** un enfant seul près d'une pièce d'eau, aussi petite et peu profonde soit-elle. Dès qu'il sait se mouvoir, même à quatre pattes, il peut en effet se noyer dans dix centimètres.

2 ***Préférez*** les baignades surveillées par un maître nageur.

3 ***Donnez*** à vos enfants des points de repères sur une plage fréquentée. Par exemple: choisissez un parasol de couleur vive ou installez-vous près d'un loueur de pédalos. Ainsi, ils vous retrouveront facilement.

Sandales

4 ***Respectez*** les signalisations, bouées et couleurs de drapeaux. Sur l'Atlantique et la Manche, tenez compte de l'heure des marées.

5 ***Surveillez*** l'embarcation gonflable du type petit bateau. Ne vous en éloignez pas de plus de cinq ou six mètres.

6 ***Evitez*** les jouets flottants qui ne tiennent pas au corps de l'enfant, à l'inverse des bracelets gonflables ou d'un gilet. Il aura tendance à aller les rechercher là où il n'a plus pied.

7 ***Faites-lui porter*** des sandales. En marchant pieds nus, il peut se blesser sur des bouts de verre ou sur des seringues!

Sur la plage, sans un minimum de précautions, un accident est vite arrivé.

8 ***Couvrez-lui*** la tête d'un chapeau et utilisez pour le corps et le visage une crème solaire haute protection; il faut la renouveler après chaque bain.

9 ***Faites-le entrer*** progressivement dans l'eau afin d'éviter tout risque d'hydrocution.

10 Enfin, ***apprenez-lui*** à nager vous-même ou faites-lui donner des leçons de natation par un maître nageur.

Geneviève MURAT

Quelques remarques

Commandement n°1: «Ne laissez jamais.» Un ordre peut aussi être négatif:

Laissez!
Ne laissez pas!
Ne laissez jamais!

L'impératif respecte les règles pour le négatif (pages 84–8).

Commandement n°3: «installez-vous»
Pourquoi ce vous?
Le verbe «s'installer» est pronominal (pages 135–8). On doit obligatoirement ajouter le pronom pronominal:
«asseyez-vous!»
«lève-toi!» (voir page 111).

Commandements n°7, 8, 10: Les pronoms suivent l'impératif lorsque celui-ci est positif: «apprenez-lui». Mais pour la négation, les pronoms sont placés avant l'impératif:
«ne lui apprenez pas…»
«ne lui couvrez pas les bras…»

Activité 1

Renforcez ces conseils/suggestions en substituant l'impératif (de la personne indiquée).

utilisez: deuxième personne du pluriel (vous)

1 Pourquoi pas partir en vacances?
2 A votre place, je ferais un petit effort!
3 Il ne faut pas prendre ces pilules!
4 A mon avis il vaut mieux saisir l'occasion.
5 Pourquoi pas lui en parler?
6 Il ne faut pas avoir peur!

utilisez deuxième personne du singulier (tu)

7 Tu vas ranger tes affaires, n'est-ce pas?
8 A ta place, je boirais de l'eau et non pas du vin!
9 La recette? Tu devrais la leur demander.
10 Tu vas répondre à la lettre de Charles, n'est-ce pas?
11 Pourquoi pas venir à Noël?
12 Tu ne devrais pas y faire attention.

utilisez: première personne du pluriel (nous)

13 Pourquoi pas sortir faire une promenade?
14 Si on descendait au prochain arrêt?
15 On pourrait changer de place?
16 Pourquoi pas appeler un taxi?
17 Il vaut mieux se dépêcher.
18 On doit y réfléchir, n'est-ce pas?

Activité 2

Rédigez les dix commandements des parents vigilants qui veulent empêcher les accidents domestiques.

Exemple:

1 *Ne laissez pas les enfants seuls dans la cuisine.*

*Vous trouverez le vocabulaire de cette page à la page 72.

impératif 3

Vérifiez votre boîte à souvenirs...

...et ayez pitié de vos pellicules

Pas besoin d'un matériel sophistiqué de professionnel pour rapporter de superbes souvenirs de vacances.

Avant de partir en vacances, n'___[1] pas de vérifier le bon fonctionnement de votre appareil photo. Quoi de plus triste, en effet, qu'un appareil qui vous lâche en plein pique-nique ou pendant une excursion.

Nous allons donc établir ensemble son diagnostic. Bien évidemment, nous ne toucherons à rien. Cette technique étant réservée aux spécialistes, tant les boîtiers sont fragiles. Nous nous contenterons de regarder.

En premier lieu, ___[2] l'appareil. ___[3] les feutres noirs tout autour de l'ouverture, et pour certains modèles, autour de la petite fenêtre qui laisse apercevoir la pellicule. Ils doivent être intacts sinon la lumière y pénétrerait.

Maintenant ___[4] l'appareil ouvert vers une forte lumière. Au fond, l'obturateur doit rester sombre. Ouvrez et fermez le diaphragme: le polygone d'ouverture et de fermeture doit être bien régulier.

Au fait, profitez-en pour vérifier les bagues qui tournent autour de l'objectif: vous devez pouvoir les manipuler sans sentir de résistance, si infime soit-elle.

Place maintenant au nettoyage. Un chiffon imbibé d'un peu d'alcool à 90° suffira pour le boîtier. Pour l'objectif, ne ___[5] pas dessus avec la bouche: une petite soufflette, en vente chez un photographe, vous coûtera entre 10 F à 20 F. La lentille sera nettoyée avec un papier non tissé spécial, acheté chez votre fournisseur. N'oubliez pas de remettre le capot protecteur!

En dernier lieu, **si nous songions aux piles**? Les vôtres datent certainement des dernières vacances, alors ___[6] -en des neuves.

Il reste maintenant à vous préoccuper des pellicules. Elles risquent d'avoir pris l'humidité ou la poussière et la dose des rayons X subie par vos bagages à l'aéroport a peut-être été trop forte. Pour éviter ce désastre, il vous suffit d'observer quelques règles simples.

Tout d'abord, ___[7] à bien empaqueter vos pellicules et surtout de les conserver dans leur emballage d'origine jusqu'à leur utilisation. A cet égard, les boîtes cylindriques des 24 x 36 sont d'une merveilleuse efficacité. Je vous livre un «truc» pour les protéger à la fois de la chaleur et d'une trop grande hygrométrie: ___[8]-les dans un petit sac isotherme facile à caser dans une valise, dans lequel vous aurez ajouté un paquet de silicagel. C'est un produit qu'on peut se procurer dans tous les bons magasins et qui sert de déshydratant.

Reste l'épreuve des rayons X. Vous pouvez, bien sûr, avoir recours à une boîte en plomb, mais un policier inquisiteur risque de vouloir examiner ce paquet sombre dans votre bagage. Le mieux est de prendre les pellicules avec vous dans le bagage à main.

Vous pensez que tout est terminé? Pas du tout. Il reste, à votre retour, le problème du développement. Ne ___[9] pas à les faire développer, car les pellicules impressionnées sont beaucoup plus fragiles que les vierges.

Si vous suivez ces conseils, vous êtes fin prêt pour un safari-photo en Afrique ou, plus simplement, pour capter le sourire de vos enfants sous le soleil de l'été.

G.M.

- Ce texte*, qui vient du journal hebdomadaire *Ici Paris* donne des conseils, des *ordres*, aux lecteurs qui veulent faire de bonnes photos pendant leurs vacances...

Activité 3

Mais la plupart des verbes (à *l'impératif*, bien sûr) manquent. Lisez d'abord ce texte et puis trouvez les verbes qui manquent. Voici les infinitifs des verbes en question:

1 oublier
2 ouvrir
3 observer
4 diriger *(to point/direct)*
5 souffler *(to blow)*
6 mettre
7 veiller *(to take care/ensure)*
8 abriter *(to shelter/protect)*
9 tarder *(to delay)*

**Vous en trouverez le vocabulaire à la page 72.*

infinitif 1

Some verbs are followed directly by the infinitive, e.g. verbs of motion, verbs of perception, verbs like *devoir*: *Elle est allée* ***se baigner****. Sa mère la voit* ***jouer*** *dans l'eau. Elle ne doit pas* ***aller*** *trop loin.*

Other verbs are linked to the infinitive by a preposition: *Elle nous apprend à nager mais nous avons peur d'aller dans l'eau.*

Dans un dictionnaire le verbe est au présent de l'infinitif.

Exemples: *manger, finir, attendre, vouloir.*

a Les verbes suivis directement de l'infinitif.
Exemples: *aimer, savoir, pouvoir, vouloir*
Je *sais nager* mais je *ne* ***veux*** *pas* ***aller*** *me baigner.*

b Les verbes suivis de ***à*** ou ***de*** et de l'infinitif.
Exemples: *apprendre à, commencer à, décider de, oublier de, refuser de*
Refusant d'obéir elle *a* ***recommencé à envoyer*** du sable.

c Les verbes suivis de ***à*** et de ***de*** + l'infinitif.
Exemple: *demander à quelqu'un de faire quelquechose*
Elle a ***demandé à*** Corinne ***de mettre*** son tee-shirt.

● Dans cette bande dessinée de Claire Bretécher nous voyons plusieurs exemples de verbes suivis de l'infinitif.

«viens mettre ton tee-shirt»: le verbe est suivi directement de l'infinitif

«veux-tu rendre...»: le verbe *vouloir* *est suivi de l'infinitif*

envoyer du sable to throw sand
la bouée rubber ring
le moule mould (for sand pies)

Activité 1

La maman de Corinne la regarde. Continuez ce récit en utilisant toujours l'infinitif: Elle la voit enlever son tee-shirt; elle la voit grimper sur les rochers...

infinitif 2

> *Sans* (**without**), *au lieu de* (**instead of**), *avant de* (**before**) are followed by the infinitive: e.g. *Au lieu d'aller au cinéma, je suis allé à la plage.* (Instead of **going** to the cinema, I went to the beach.)
>
> Note that in English the infinitive is expressed by the **-ing** ending.

Activité 2

Remplissez les blancs avec les verbes appropriés que vous choisirez dans la liste ci-dessous.

Sa mère ___[1] à se fâcher car Corinne ne ___[2] pas mettre son tee-shirt. Elle lui ___[3] de rendre la bouée au petit garçon mais Corinne ___[4] à jouer avec lui et elle ___[5] de ___[6] s'asseoir.

a continué, voulait, a dit, venir, a commencé, a refusé.

Sans, au lieu de, avant de

Activité 3

Sans, au lieu de, avant de sont suivis de l'infinitif. Suivant l'exemple, faites des phrases:

Elle s'est baignée. Elle n'a pas écouté sa mère. [sans] Sans écouter sa mère, elle s'est baignée.

1 Elle a joué avec son copain. Elle n'a pas hésité. [sans]
2 Elle a envoyé du sable. Elle n'a pas joué gentiment. [au lieu de]
3 Elle a mis son tee-shirt. Elle a grimpé sur les rochers. [avant de]
4 Elle a pris la bouée du garçon. Elle n'a pas joué avec ses moules. [au lieu de]

L'infinitif exprimant l'impératif

L'infinitif exprimant l'impératif s'emploie souvent dans les instructions ou les conseils.

- Regardez ces vers de Prévert. Il donne une liste d'instructions pour faire le portrait d'un oiseau. Les instructions sont à l'infinitif exprimant l'impératif.

Peindre d'abord une cage
avec une porte ouverte
peindre ensuite
quelque chose de joli
quelque chose de simple
quelque chose de beau
quelque chose d'utile
pour l'oiseau
placer ensuite la toile contre un arbre
dans un jardin
dans un bois
ou dans une forêt — *infinitif pronominal*
se cacher derrière l'arbre
sans rien dire
sans bouger...
Parfois l'oiseau arrive vite
mais il peut aussi bien mettre de longues années
avant de se décider — *infinitif au négatif*
Ne pas se décourager
attendre

Activité 4

Inventez de la même façon, une liste d'infinitifs pour passer une soirée géniale.

infinitif 3

Quelques exemples des verbes suivis de l'infinitif

1 le verbe suivi directement de l'infinitif

aller	Va chercher le docteur.
il vaut mieux	Il vaut mieux le chercher tout de suite.
vouloir	Je ne veux pas y aller.
oser	Tu oses me répondre ainsi?
voir	Tu me verrais souffrir?
penser	Paul pensait y aller.
laisser	Je ne te laisserai pas devenir si paresseux.
faillir	J'ai failli mourir, je suis tellement malade.
espérer	J'espère voir Paul.
compter	Il compte rentrer dans dix minutes.

2 verbe + à + infinitif

hésiter	Elles hésitent à sortir.
se décider	Elles ne peuvent pas se décider à sortir.
avoir	Elles n'ont rien à faire.
aider	Tu pourrais les aider à faire leurs devoirs.
apprendre	Oui, et je leur apprendrai à conjuguer.

3 verbe + de + infinitif

essayer	J'ai essayé de comprendre.
décider	C'est vrai, tu as décidé de faire un effort?
refuser	Mais, je refuse de travailler le samedi.
parler	Ah, oui, nous avons parlé de faire cela.
éviter	J'évite d'utiliser le dictionnaire.
suffire	Il suffit d'utiliser le dictionnaire monolingue.
prier	J'ai prié ma soeur de me prêter le sien.
empêcher	Elle ne t'a jamais empêché de le prendre.
avoir besoin de	J'ai besoin de l'utiliser.

4 verbe + à + de + infinitif

demander	Demandez-lui d'entrer.
conseiller	Je te conseille de ne pas la voir.
permettre	Mais, je lui permets de venir chez moi.

Activité 5

Ajoutez d'autres verbes à ces listes. Vous en trouverez d'autres en lisant des articles ou des romans.

Faire faire

Faire faire (to have something done): *Je fais peindre la maison* (I am having the house painted); *Je l'ai fait peindre* (I had it painted).

N.B. No agreement after *fait*.

- Dans cet extrait de *Le ras-le-bol des superwomen* Michèle Fitousi explique ce que son mari doit faire le weekend:

> ... le sacro-saint tennis du samedi matin, le match de rugby au Parc l'après-midi, *la bagnole à faire réparer*, les étagères de la salle de bain à poser... sans compter la lecture du *Monde* plus le supplément télé, il ne lui reste pas beaucoup de loisirs pour nous aider comme il le devrait.

Faire faire: on demande à quelqu'un d'autre de faire quelquechose pour vous; M. Fitousi ne répare pas lui-même sa voiture, il la fait réparer par le garagiste. *Faire* est suivi d'un deuxième infinitif.

Activité 6

Complétez une série de phrases, suivant les exemples:

Exemple:
a *Il fait réparer sa voiture.* **b** *Il la fait réparer.* **c** *Il ne la fait pas réparer.*

1 **a** Madame Fitousi fera ___ les étagères par son mari. **b... c...**
2 **a** Ils font ___ l'appartement par la femme de ménage. **b... c...**

le, la, l', les: l'article défini 1

The definite article indicates the number and gender of the noun. Both *le* and *la* become *l'* before a noun beginning with a vowel or h mute, e.g. *l'hôtel, l'armée*. For usage which differs in French and in English see the grid

L'article défini se met devant les noms. Il indique le genre et le nombre du nom.

genre	singulier	pluriel
masculin	le/l'	les
féminin	la/l'	les

L' s'emploie avec les noms singuliers masculins ou féminins commençant par une voyelle ou un *h* muet.
Exemple: *l'homme, l'armée*

Les s'emploie pour le pluriel des noms féminins et masculins.
Exemple: *les hommes, les armées*

● Lisez ce poème de Paul Eluard et regardez-y l'emploi de l'article défini.

Gabriel Péri

Un homme est mort qui n'avait pour défense
Que ses bras ouverts à *la vie*
Un homme est mort qui n'avait d'autre route
Que celle où l'on hait *les fusils*
Un homme est mort qui continue la lutte
Contre *la mort* contre l'oubli

Car tout ce qu'il voulait
Nous le voulions aussi
Nous le voulons aujourd'hui
Que *le bonheur* soit la lumière
Au fond des yeux au fond du cœur
Et *la justice* sur la terre

Il y a des mots qui font vivre
Et ce sont des mots innocents
Le mot chaleur le mot confiance
Amour justice et le mot liberté
Le mot enfant et le mot gentillesse
Et certains noms de fleurs et certains noms de fruits
Le mot courage et le mot découvrir
Et le mot frère et le mot camarade
Et certains noms de pays de villages
Et certains noms de femmes et d'amis
Ajoutons-y Péri

L'article défini s'emploie devant un nom désignant:

1 une idée générale: *la vie, la mort, la justice, le bonheur*;
2 tout ce qu'il y a dans un groupe ou une catégorie: *les fusils* (tous les fusils).

N.B. L'article est souvent absent quand il s'agit d'une liste: *amour, justice et le mot liberté.*

L'emploi de l'article défini	En français	En anglais
l'idée générale	✓ la vie	✗ life
la catégorie, le groupe	✓ les fusils	✗ guns
une liste	✗ fille, femme, soeur et mère	✗ daughter, wife, sister and mother
un nom connu	✓ l'homme dont on parle	✓ the man we're speaking about
possession (corps, vêtement)	✓ la veste trop courte, le manteau trop long	✗ their jackets too short, their coats too long
les pays, les grandes îles	✓ la France, la Grande Bretagne	✗ France, Great Britain
les appellations	✓ M. le Président	✗ Mr President
apposition	✗ M. Virapoullé, député de la Réunion	✗ Glenda Jackson, MP for Highbury and Islington

le, la, l', les: l'article défini 2

- Dans cet article, tiré du magazine *Marie-Claire*, on parle de ce qui se passe dans certains lycées. Il n'y a pas assez de surveillants, les bâtiments sont délabrés et la tension monte.

Activité 1

Tous les articles définis ont été supprimés. A vous de décider s'il faudrait en ajouter, et, si oui, lequel:

la monnaie courante common currency
les moyens mis en oeuvre measures taken
la cité housing development, estate, often blocks of flats
le proviseur head teacher
les cités scolaires school buildings on large sites
tisser to weave (here establish)
le programme syllabus, curriculum
l'accueil (m) welcome, reception
encadrer to receive (train and supervise)
l'échec (m) failure

Racket dans ____ lycées: ____ peur

tension monte dans lycées de région parisienne. Vols, rackets et agressions deviennent monnaie courante pour élèves et professeurs. Danièle Lederman a enquêté dans plusieurs établissements et a voulu connaître moyens mis en oeuvre pour répondre à violence: répression ou dialogue?

«Si vous saviez, Madame, comment on vit chez nous», a dit simplement un enfant de cité des Francs-Moissins, à Saint-Denis, à Mme Louys, proviseur du lycée Paul-Eluard. Aux problèmes sociaux parfois dramatiques, s'ajoute situation de école, qui cristallise problèmes: énormes cités scolaires, souvent inhumaines, où relations personnelles sont difficiles à tisser, classes surchargées, compétition, sélection, programmes parfois inadaptés, accueil d'enfants de cultures différentes que Education ne s'est pas suffisamment préparée à encadrer, échec scolaire… liste des lacunes est longue.

L'agitation dans les lycées

Une violence qui n'est que le reflet de la rue et du malaise d'une certaine jeunesse.

lui ou *l', le, la/leur* ou *les* 1

pronoms personnels d'objet indirect et direct

Indirect pronouns

lui: to or for him/her
leur: to or for them

Direct pronouns

l', le: it or him,
l', la: it or her
les: them

With verbs like *téléphoner, dire, parler, écrire*, the indirect pronoun should be used.

e.g. *Indirect*
Il a écrit *à Valérie*.
Il *lui* a écrit.
J'ai montré ma lettre *à mes amis*.
Je *leur* ai montré ma lettre.

Direct
Il aime *Valérie*.
Il *l'*aime.
Elle lit *ses lettres*
Elle *les* lit.

- Lisez cette lettre écrite au magazine, *O.K.* par John, 16 ans. Il dit qu'il a écrit des lettres à Valérie pour lui dire qu'il était amoureux d'elle.

John, Paris:

«JE N'ARRIVE PAS À LUI PARLER»

J'ai seize ans, comme Valérie, la fille que j'aime. Cela fait plus de deux ans, maintenant, que je la désire. Au début de cette année, j'ai pris mon courage à deux mains et *je lui ai avoué mon amour*. Mais ma déclaration, je l'ai faite par écrit. Et elle ne sait pas qui est John... En revanche, j'ai appris qu'elle était heureuse de savoir que quelqu'un *l'aimait*. Depuis, je lui ai écrit d'autres lettres et je ne peux m'empêcher de souffrir en pensant qu'elle me lit, se demande qui je suis, alors que John est là, tout près d'elle... Mais voilà, bien que je ne sois pas timide avec les «girls», dès que je l'approche pour lui parler et lui dire qui je suis, je deviens comme paralysé, incapable de sortir un mot... C'est la première fois que je tombe amoureux. Qu'est-ce que je dois faire?

je lui ai avoué mon amour
(I declared my love to her)

quelqu'un l'aimait
(someone loved her)

Pronoms personnels compléments d'objet indirect: *lui, leur*
Pronoms personnels compléments d'objet direct: *l', le, la, les*

Je désire *Valérie* → Je *la* désire. (*la* = Valérie)
Je lui envoie *les lettres* → Je *les* envoie. (*les* = lettres)
J'écris *à Valérie* → Je *lui* écris. (*lui* = à Valérie)
Il ne dit rien *à ses amis* → Il ne *leur* dit rien. (*leur* = à ses amis)

Activité 1

Suivant les exemples ci-dessus, complétez les phrases suivantes.

1 Quelqu'un *l'*aimait. (*l'* = ...)
2 Je *la* désire. (*la* = ...)
3 Je *lui* ai avoué mon amour. (*lui* = ...)
4 Je *l'*ai écrite. (*l'* = ...)

Au passé composé les pronoms personnels se placent avant le verbe auxiliaire. *Lui* et *leur* se placent après *le, l', la* et *les*.

Exemples:
Je lui ai avoué mon amour.
Je le lui ai avoué.
Je leur ai écrit des lettres.
Je les leur ai écrites.

Lui et leur ne s'accordent pas avec le participe passé.

Les pronoms personnels se placent avant l'infinitif.

Exemples:
Je veux parler à Valérie.
Je veux lui parler.
Elle n'a pas pu voir John.
Elle n'a pas pu le voir.

Voir aussi Atelier 2, page 15 et page 29.

lui ou *l', le, la/leur* ou *les* 2

pronoms personnels d'objet indirect et direct

In the perfect tense: these pronouns are placed before the auxiliary verb. If both direct and indirect pronouns are present ***lui*** and ***leur*** follow ***le, la*** and ***les***
*Mes lettres? Je **les leur** ai montrées.*

When used with a verb followed by an infinitive: the pronoun is placed before the infinitive: *Mes lettres? Elle ne veut pas **les** lire. Valérie? Il ne peut pas **lui** dire qu'il l'aime.*

Activité 2

Répondez aux questions:

1 Il aime Valérie ou il ne l'aime pas?
2 Quels sont ses sentiments à son égard depuis deux ans?
3 Qu'est-ce qui est arrivé au début de l'année?
4 Il lui a écrit ou il lui a parlé?
5 Pourquoi Valérie était-elle heureuse?
6 Qu'est-ce que John a fait quand il a compris qu'elle était heureuse?
7 Quand devient-il paralysé?

Activité 3

Voici la réponse que le magazine a offerte à John. Remplissez les blancs avec le pronom approprié:

Valérie comprend que le garçon qui ___ aime, eh bien c'est toi. Le mieux à notre avis, c'est encore de ___ aborder, de ___ parler. Même si tu es très troublé, très ému, ose ___ dire que tu es John.

Activité 4

Remplacez les mots en italiques par un pronom:

Ex: Elle a plu *aux garçons.*
Elle leur a plu.

1 Ils ont répondu *aux correspondants.*
2 Ils veulent répondre *aux correspondants.*
3 J'ai envoyé la lettre *à mes copains.*
4 Elle n'a pas téléphoné *à John*; elle a écrit *à John.*

Activité 5

● Voici une deuxième lettre. Vous êtes censé y répondre et afin de mieux rédiger votre réponse vous racontez à une amie ce que Sonia a dit. Vous devrez changer plusieurs mots: verbes, pronoms… Commencez ainsi:

Elle va avoir bientôt dix-huit ans et elle a un problème. Elle plaît à beaucoup de garçons, alors en trouver un pour elle, c'est facile. Mais quand elle sort avec un mec – de son âge ou plus âgé – au bout de deux semaines de flirt, il lui demande…

plaire à to please (**il me plaît** I like him)
le mec (pop.) bloke
coucher avec quelqu'un to sleep with someone
dingue (fam.) crazy
mignon pretty
l'âme (f) soul

Sonia:
«ILS NE PENSENT QU'À ÇA…»

Je vais avoir bientôt dix-huit ans et j'ai un problème. Je plais à beaucoup de garçons, alors en trouver un, pour moi, c'est facile. Mais quand je sors avec un mec – de mon âge ou plus âgé –, au bout de deux semaines de flirt, il me demande si je veux bien coucher avec lui. Et comme je réponds «non», le garçon ne fait plus attention à moi et m'oublie. J'en ai parlé à mes amies et elles me découragent en me disant que les garçons sortent avec moi uniquement pour mon physique. Ça me rend dingue! Il y en a même un qui m'a avoué qu'il sortait avec moi parce que ses copains me trouvaient mignonne. Mais moi, je ne veux pas avoir de rapports tant qu'un garçon ne m'aimera pas pour ce que je suis. J'ai un cœur, une âme, des sentiments. Je ne suis pas qu'un visage et un corps. Vous comprenez cela? Alors aujourd'hui j'ai la haine des mecs, je me suis mis dans la tête qu'ils sont tous pareils. Et j'ai le moral à zéro. Voyez-vous une solution à mon problème? Merci de m'aider…

MAJUSCULE ou minuscule? 1

Languages and adjectives of nationality do not take a capital letter:

He is French = *Il est français.*

The French speak French = *Les Français parlent français.*

le rédacteur, la rédactrice editor

La langue et l'adjectif prennent la lettre minuscule (a, b, c, d, e, f, g... etc).

La personne et le pays/continent prennent la majuscule (A, B, C, D, E, F, G... etc).

- Les magazines *Marie Claire* et *Elle* se vendent dans plusieurs pays. Voici réunis les représentants de *Marie Claire*:

> Réunies à Paris, les rédactrices en chef des Marie Claire européens. De gauche à droite: Glenda Bailey, l'Anglaise, Maria Elisa Domingues, directrice du Marie Claire portugais, Ana Rosa Semprun, venue d'Espagne, Vera Montanari d'Italie, Jacques Garai, directeur de la rédaction française et des éditions internationales. Christiana Stamatelou du Marie Claire grec et Suay Aksoy représentant le Marie Claire turc. Une précision: l'Europe de Marie Claire inclut nos amis de Turquie qui ne fait pas encore partie de la C.E.E.

Glenda Bailey, l'Anglaise	la personne (MAJUSCULE)
Ana Rosa Semprun, venue d'Espagne	le pays (MAJUSCULE)
Jacques Garai, directeur de la rédaction française	l'adjectif (minuscule)

Glenda Bailey, l'Anglaise parle anglais et habite en Angleterre. Rosa Semprun, l'Espagnole, parle espagnol et habite en Espagne. Glenda est la directrice du magazine anglais et Rosa du magazine espagnol. Maria Elisa Domingues, la Portugaise, parle portugais et habite au Portugal. C'est la directrice du magazine portugais.

Activité 1

1 a Jacques Garai, où habite-t-il? Quelle langue parle-t-il?
  b Vera Montanari est italienne ou espagnole?
  c Où habite Christiana Stamatelou?
  d Elle travaille pour quel *Marie Claire*?
2 a Nelson Mandela est de quelle nationalité?
  b *Le Monde* est un journal français ou belge?
  c Le prince Philip est né où?
  d Copenhague est la capitale de quel pays?
  e Quelle est la capitale de l'Eire?
3 Inventez cinq questions dont les réponses contiendront le nom d'un pays ou d'une langue.

A noter

1 Pour les pays masculins, on dit: *Elle habite **au** Portugal, elle arrive **au** Maroc, elle part **du** Canada.*
  Pour les pays féminins, on dit: *Elle habite **en** Turquie, elle est arrivée **en** France, elle part **de la** France.*
2 Pour les villes comme Le Havre on dit: *Elle arrive **au** Havre.* (Sinon, elle serait arrivée **à** Dieppe.)
3 Pour les Etats-Unis, les Pays-Bas: on dit: *Elle habite **aux** Etats-Unis. Elle arrive **aux** Pays-Bas.*

MAJUSCULE ou minuscule? 2

Activité 2

● Et voici l'extrait d'un article où le magazine *Elle* parle de ses nouvelles lectrices. Lisez l'exemple et continuez:

Exemple:
Irlande: June Hodgson, l'Irlandaise, habite en Irlande et parle anglais.
Danemark: Lisbeth Thyssen...

IRLANDE June Hodgson, 42 ans, hôtelière. Elle possède l'hospitalité légendaire de son vert pays où l'avortement et le divorce sont interdits.

DANEMARK Lisbeth Thyssen, 32 ans, magistrat. Autonome, elle vit avec sa fille dans un appartement acheté à crédit.

PORTUGAL Amelia Pinto Basto, 31 ans, ingénieur. Elle a un bon salaire dans un pays où l'inégalité des sexes est encore très forte.

PAYS-BAS Annelies Jansen Gieling, 34 ans, styliste. Elle se partage avec bonheur entre ses deux enfants, son mari et sa ligne de vêtements.

ROYAUME-UNI Kate Newman, 34 ans, metteur en pages. La journée continue lui permet de s'occuper le plus possible de son fils.

ITALIE Alberica Archinto, 29 ans, productrice à la télévision. C'est une passionnée de théâtre qui ne sort pas toujours avec son mari et fait tout à la dernière minute.

LUXEMBOURG Christine Franck, 29 ans, maquettiste. Pour elle, l'Europe est déjà une réalité dans ce duché de 360 000 habitants.

ALLEMAGNE Cornelia Rabitz, 37 ans, journaliste. Elle élève seule son fils dans un pays où crèches et nourrices n'existent pas.

GRECE Mara Martini, 36 ans, styliste. Femme d'affaires redoutable, c'est une sorte d'Agnès B. dont les journées sont de véritables marathons.

BELGIQUE Anne Sokal, 38 ans, adjointe d'un directeur commercial. Elle gagne 30% de moins qu'un homme à niveau égal.

ESPAGNE Maria-José Costas Stampa, 35 ans, avocate. Son métier l'oblige à voyager mais son mari prend le relais auprès des enfants.

FRANCE Marie-Françoise Audouard, 33 ans, directrice de collection chez un éditeur. L'équilibre parfait entre une vie professionnelle intense et une vie familiale câline.

l'avortement (m) abortion
le magistrat magistrate
autonome independent
acheter à crédit to buy on installments
le, la styliste stylist, designer
le metteur en pages typesetter
la journée continue a non-stop working day
le, la maquettiste model maker
la nourrice nanny
l'adjoint(e) (m/f) assistant, deputy
le directeur commercial business executive
l'avocat(e) (m/f) lawyer
prendre le relais to take over, take one's share
directrice de collection fashion editor
câlin warm, tender

négation 1

This section explores the various ways of making a sentence negative in French.

No!		Non!
...not...	1	Ne... pas
No-one/nobody	2	Ne... personne
Not a single...	3	Ne... aucun
Nothing...	4	Ne... rien
No more/no longer	5	Ne... plus
Never...	6	Ne... jamais
Only.../no more than	7	Ne... que
Not at all...	8	Ne... point
Neither... nor...	9	Ne... ni...ni

Ces mots-clés sont souvent utilisés pour exprimer la négation.

- On distingue deux formes de phrases: ***affirmatives*** (qui expriment une attitude positive) et ***négatives*** (qui décrivent une opposition ou cherchent à nier ou à limiter une affirmation).

	affirmative ✓	**négative ✗**	
Oui	Bruxelles est la capitale de la Belgique.	Amsterdam ***n'***est ***pas*** la capitale des Pays Bas.	*Non*
oui	Michel est parti.	Michel ***n'***est ***pas*** encore parti; son manteau est toujours dans son bureau.	*non!*
Oui			*Non*
Oui!	Il y a des choses à manger dans le frigo.	Il ***n'***y a ***rien*** dans le frigo!	*Non!*
oui	Il reste un peu de café.	Il ***n'***y a ***plus*** de café; le paquet est vide!	*non*
Oui!	Le Parti Socialiste, c'est le parti des gens défavorisés!	Ah, ***non***! Le Parti Socialiste ***n'***a ***rien*** fait pour les pauvres.	*Non*

- **L'Ours des Pyrénées**
  Il y a encore des ours sauvages en liberté dans les montagnes des Pyrénées. Voici quelques extraits des observations des gardes-moniteurs qui protègent ces ours.

la couche (de neige) fall (of snow)
pointer sticking out

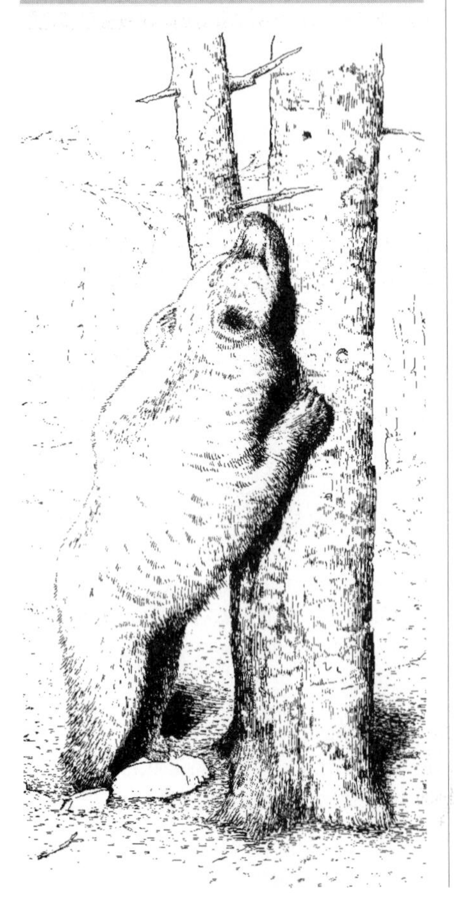

1 Ne...pas

Nos témoignages de cette époque ***ne*** sont ***pas*** des points de vue de théoriciens. Ce ***ne*** sont ***pas*** des thèses sur la protection de la nature. Mais des souvenirs de petits paysans pyrénéens.

L'hiver *n'*est *pas* loin sur les sommets. Nous sommes au 20 octobre, il a neigé toute la matinée. Oh, la couche *n'*est *pas* épaisse, le paysage résiste encore au blanc et on aperçoit l'herbe pointer un peu partout.

On utilise ***ne... pas*** pour une négation qui porte sur le verbe:

sujet	***ne*** + verbe + ***pas*** ***n'*** (avant une voyelle)	complément

normalement on place ***ne*** avant le verbe, et ***pas*** après (mais voir dessous: *la place des éléments de négation)*

2 Ne... personne

... il faut être très clair et très ferme sur ce point – que, aujourd'hui, dans les Pyrénées, l'ours *ne* dérange *personne*, *ne* gêne *personne*, ni le citadin, ni le touriste, ni le promeneur, ni même le montagnard occasionnel, l'ours *ne* dérange *personne* si ce n'est le berger et son troupeau.

Les instants nous paraissent très très longs. Le moindre bruit est analysé, interprété. *Personne n'*ose parler de l'ours, mais tous trois nous ne pensons qu'à lui.

La place de ***ne*** et ***personne*** diffère suivant leur fonction dans la phrase:

l'ours ***ne*** *dérange* ***personne*** (complément) *«personne» = complément – après le verbe*
Personne n'*ose parler de l'ours...* *«personne» = sujet – avant le verbe*

négation 2

3 Ne... aucun

L'ours est passé tout près du village, rive gauche du torrent. De loin en loin, quoique assez imprécises, ses empreintes le trahissent. Mais ce qui *ne* laisse *aucun* doute sur son identité ce sont les énormes pierres qu'il a pris le temps de bousculer et de renverser sur son passage...

... hier, tuer l'ours était un devoir, un service rendu. Aujourd'hui, c'est un délit!... La difficulté, c'est de changer le cœur et la tête des gens... Et ce bouleversement profond, *aucun* pouvoir, *aucune* autorité, *aucune* administration, *aucune* institution, *aucune* association *n'*est capable de le réaliser du jour au lendemain!

La place de ***ne*** et ***aucun(e)*** diffère suivant la fonction:

*ce qui **ne** laisse **aucun** doute...* (complément)
***aucune** association **n'**est capable de...* (sujet)

NB aucun(e) est un adjectif. Par conséquent il faut faire l'accord avec le substantif. (Les pluriels sont rares.)

le citadin town-dweller
les empreintes (f) pawprints, tracks
trahir to give someone away, betray
bousculer to push around
le délit crime
le gave stream (in the dialect of the Pyrenees)
volatilisé vanished into thin air

4 Ne... rien

Louis Espinassous et Jean-Paul Domec poursuivent un ours qu'ils appellent «Le Gros»:

Avec Jean-Paul nous reprendrons la piste deux jours après... ... Je traverse le gave, je saute en face persuadé de trouver une suite évidente... Plusieurs heures de recherche *ne* donneront *rien*! «Le Gros» s'est volatilisé.

Est-ce qu'il y aura toujours des ours dans les Pyrénées? *Rien n'*est certain.

*Plusieurs heures... **ne** donneront **rien.*** (complément) après
***Rien n'**est certain.* (sujet) avant

au ralenti in slow motion

5 Ne... plus

Après quelques fausses alertes, le grand mauvais temps s'installe définitivement. Chaque brin d'herbe *n'*est *plus* qu'un glaçon... La neige *ne* fond *plus;* elle s'accumule et s'entasse régulièrement.

L'ours, gras à lard, s'installe dans sa tanière d'hiver où il va s'enfouir pour toute la durée de la mauvaise saison. Apparemment, pour lui, le monde extérieur *n'*existe *plus*: la tempête et le blizzard qui hurlent, l'homme et ses bêtes qui vivent au ralenti, tout cela *ne* semble *plus* faire partie de son univers de silence et d'obscurité.

*La neige **ne** fond **plus.***

Notez aussi: Plus de neige. (La phrase affirmative équivalente serait *La neige fond* ***encore***.)

négation 3

6 Ne... jamais

Les bergers de montagne ***ne*** *peuvent* ***jamais*** *considérer l'ours comme un ami; il représente un danger permanent à leur existence économique:*

> Il est très rare d'apercevoir des traces d'ours l'hiver. Cela arrive pourtant. Mais par contre, nous *n'*avons *jamais* trouvé de crottes hivernales.
>
> Dominique, c'était un ours énorme. Jean Loustau *ne* l'avait *jamais* rencontré, il avait seulement croisé sa trace, un pied de très grande pointure comme il *n'*en avait *jamais* vu.

les crottes (f) **hivernales** winter droppings
la pointure size

Notez que dans ces deux derniers exemples le verbe est au *passé composé* et au *plus-que-parfait*

Nous ***n'****avons* ***jamais*** *trouvé...*

sujet + ***ne*** + verbe auxiliaire + ***jamais*** + participe passé

Jean Lousteau ***ne*** l'avait ***jamais*** rencontré...

Résumé de la place des éléments de la négation

temps simples: ***ne*** + verbe + ***pas***
personne
aucun(e)
rien
plus
jamais

les éléments de négation entourent le verbe

temps composés: (*verbe à deux éléments*)

notez la différence: on place «personne» après le participe passé

1 ***ne*** + auxiliaire + ***pas*** + participe passé
Les ours ***n'****ont* ***pas*** *disparu des Pyrénées.*

2 ***ne*** + auxiliaire + participe passé + ***personne***
Cette année, les ours ***n'****ont tué* ***personne.***

3 ***ne*** + auxiliaire + participe passé + ***aucun(e)***
En janvier, les bergers ***n'****ont perdu* ***aucun*** *mouton.*

4 ***ne*** + auxiliaire + ***rien*** + participe passé
Le garde-moniteur avait poursuivi les traces pendant six heures, mais il ***n'****avait* ***rien*** *remarqué.*

5 ***ne*** + auxiliaire + ***plus*** + participe passé
On ***n'****a* ***plus*** *tué d'ours depuis 1963.*

6 ***ne*** + auxiliaire + ***jamais*** + participe passé
Ce berger, âgé de 80 ans, ***n'****avait* ***jamais*** *vu d'ours.*

7 ***ne*** + auxiliaire + participe passé + ***que***
Depuis 1969 on ***n'****a compté* ***que*** *9 attaques d'ours pendant le mois de novembre.*

8 ***ne*** + auxiliaire + ***point*** + participe passé
Même le coup de bazooka ***n'****a* ***point*** *effrayé l'ours.*

9 ***ne*** + auxiliaire + participe passé + ***ni... ni...***
Pour ma part, je ***ne*** *l'ai* ***jamais*** *vu sur le vif,* ***ni*** *entendu,* ***ni*** *reniflé,* ***ni*** *bien sûr touché.*

négation 4

Négation de l'infinitif

Quand la négation porte sur l'*infinitif*, les éléments négatifs se placent tous les deux *devant* le verbe:

> ... seuls quelques poils représentent le mince fil d'Ariane qui nous permet de ne pas perdre complètement sa trace.

7 Ne... que

le poil hair
le mince fil the thin trace
le gosse kid

> Même si parfois, on avait peur, sérieusement peur, parce qu'après tout on n'avait que huit, dix ou douze ans, et que face à une bête sauvage on *n'*est *qu'*un petit gosse:

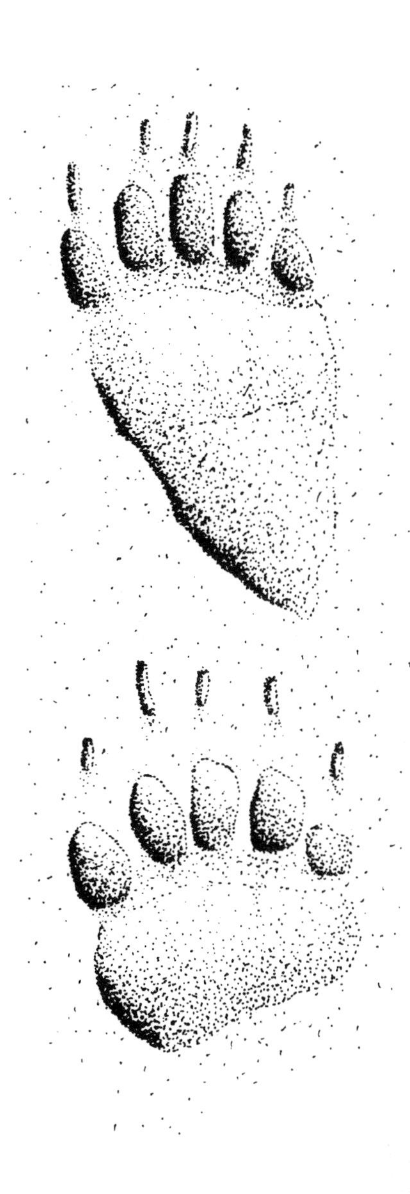

ne + ***que*** composent une négation *restrictive*, c'est-à-dire que la force de la négation est limitée:

*Je **n'**ai **pas** d'argent.* = négation complète
*Je **n'**ai **que** 2 francs.* = négation limitée.

8 Ne... point

*Penser qu'un jour il **n'**y aurait **point** d'ours en liberté en Europe, c'est très dur à supporter.*

ne + ***point*** est une forme plus forte (et plus rare) que ***ne*** + ***pas.***

9 Ne... ni... ni

> Cachons-nous, il ne nous sentira pas. Les hommes sont comme les *oiseaux*, ils ont les yeux perçants mais *ne* savent *ni* écouter, *ni* sentir, *ni* observer les petites choses. Ils croient connaître le monde en le regardant du bout des yeux.

ne... ni... ni coordonnent, négativement, des mots qui ont la même force et fonction dans la phrase:

*Je **n'**ai **ni** frère **ni** soeur... je suis enfant unique.*

Négation sans «ne»

Dans certains cas (plus souvent dans la langue parlée que dans la langue écrite) on peut supprimer *ne*.

*Je ~~ne~~ pense pas **que** cela soit vraiment important...*
*En Italie? Je ~~n~~'y suis **jamais** allée!*

Dans les phrases (ou les propositions) sans verbe, le ***ne*** est toujours supprimé:

Plus de *rackets dans les lycées!*

Pas de *problème!*

*Je l'ai déjà privé de dessert, **jamais de** fromage.*

Les éléments de négation peuvent s'employer seuls: (sauf *pas, que, ni...ni):*
J'ai ouvert la porte. ***Personne!***

négation 5

● Les extraits qui suivent viennent d'un livre *Les Secrets de l'ours*, le film de Jean-Jacques Annaud qui, comme son titre l'indique, est une chronique du film célèbre *L'ours*.

Insérez dans les phrases suivantes les éléments de négation qui manquent. (Les numéros en parenthèses correspondent à la liste qui se trouve au début de la page 84).

Exemple: (2) (2) l'empêchera de monter *L'ours* (2) Personne (2) ne

Dans le film il y a des effets spéciaux... des animatroniques. Dans quelques scènes, ce sont des hommes qui joueront les ours, mais au début, les réalisateurs (1) sont (1) très optimistes. Ils pénètrent dans les ateliers au moment où Ailsa Berk donne un cours de gymnastique à des hommes qui (9) ont l'air (9) de mimes professionnels (9) de danseurs. (3) mime (3) a la taille requise pour jouer Kaar. (Jean-Jacques Annaud) a le sentiment de (1) (1) avancer. C'est typiquement une journée de préparation où on croit que quelque chose va se passer, mais où il (4) se passe (4):

> Le budget des animaux devrait représenter environ quinze millions de francs. La consommation de pellicule devrait être gigantesque, car (4) (4) permet de savoir au bout de combien de temps les ours exécuteront le mouvement souhaité. C'est le devis le plus difficile qu'il ait jamais eu à établir.

le réalisateur film director

le long métrage full-length film
le dompteur trainer
le seau bucket
la friandise titbit, sweetmeat
l'assistance (f) onlookers

l'ourson (m) bear-cub

On tourne le film. Travailler avec des animaux sauvages (1) est (1) facile:

> Dès que le metteur en scène aura prononcé le mot «moteur», (2) (2) doit (5) bouger jusqu'à ce que les ours, après la prise, soient retournés dans leurs cages...
>
> Jusqu'à présent, leurs bêtes (7) ont tourné (7) quelques minutes dans des longs métrages, ou quelques secondes dans des films publicitaires.
>
> Les ours étaient si bien entraînés que Jean-Jacques attendait d'eux des réactions de plus en plus contrôlables. Mais Doc (5) voulait (5) entendre. Alors, le dompteur se décida. Une boîte de marshmallows dans une main, un seau de poulets dans l'autre, il prit son élan et piqua un cent mètres, mettant en évidence ses friandises.Toute l'assistance s'écroula de rire. Doc était lent, il était lourd, mais une fois lancé, il (5) s'arrêta (5).

Activité 2

Transformez ces phrases affirmatives à la forme négative, (toujours en respectant les numéros des mots-clés qui se trouvent au début de la page 84).

Exemple:
Les ours voient très bien. (1) → Les ours ne voient pas très bien.

1 Beaucoup de garde-moniteurs ont *souvent vu* ces ours. (6)
2 Les critiques pensaient que *tout le monde* s'intéresserait à un film où il n'y avait presque pas d'acteurs humains. (2)
3 En Grande Bretagne il reste *énormément* d'ours en liberté. (3)
4 Ce sera triste d'imaginer tout un continent où il y a *toujours* un ours. (5)
5 Si on perdait les ours, on pourrait *facilement* les remplacer. (6)
6 En ce moment, il y a *seulement* treize ours en liberté dans les Pyrénées. (7)
7 Pendant l'hiver, les ours mangent *copieusement*. (4)
8 Le gouvernement français et le grand public veulent voir disparaître les ours (9)
9 On a tourné *plusieurs* films avec des ours sauvages. (6)
10 En France, on a *toujours* le droit de tuer les ours. (5)

participe présent

Present participle, formed by replacing *–ons* of present tense by *–ant*: e.g. *choisissant.*

Used as a **gerund** it expresses **by/while/on doing something.**

Preceded by *en* it must have the same subject as the verb of the main clause.

Emploi gérondif et adjectif

Le participe présent, emploi verbal invariable, exprime cause/temps/manière:

Van Gogh ***admirant*** *la peinture de Gauguin, celui-ci est venue à Arles.*
Puisqu'il admirait… (cause)

Travaillant *à Montmartre, Renoir peint* La balançoire.
Pendant qu'il travaillait… (temps)

Précédé de en

Quand le gérondif est précédé de ***en***, son sujet est le même que celui de la proposition principale.

Tout *en continuant* à peindre le ciel et les nuages Boudin commença à peindre les plages de Deauville et Trouville.

- Dans cet extrait du guide du musée d'Orsay le participe présent est l'équivalent de *qui* suivi d'un verbe:

> C'est en 1886, à la dernière exposition impressionniste, que Degas expose un ensemble de pastels sous le titre: *Série de nus de femmes se baignant, se lavant, s'essuyant, se peignant ou se faisant peigner.*

women bathing…

Mary Cassatt 1844–1926 *Femme cousant* Vers 1880–1882 Huile sur toile 92/63 cm

N.B. Voir l'infinitif, (page 75)
Femme cousant (a woman sewing)
MAIS j'aime coudre (I like sewing)

Activité 1

Remplacez les participes par *qui* et le temps présent du verbe:

Degas peint des pastels sous le titre: *Série de nus de femmes qui se baignent, qui se…*

Activité 2

Dans les phrases suivantes remplacez *qui* suivi du verbe par le participe présent:

1 Une femme qui cousait est le sujet d'une toile de Mary Cassat.
2 Degas a peint des femmes qui dansaient.
3 J'ai vu des artistes qui peignaient le port à Honfleur.

Activité 3

Répondez aux questions suivantes en vous servant du gérondif:

Exemple: *Comment Van Gogh est-il mort? En* ***se suicidant***.

1 Comment a-t-il commencé sa carrière de peintre? (Il a peint des paysans belges.)
2 Comment s'est-il mutilé? (Il s'est coupé l'oreille.)
3 Comment le docteur Gachet l'a-t-il aidé? (Il l'a soigné.)
4 Comment puis-je voir ses toiles? (Vous devez visiter le musée.)

Vincent Van Gogh 1853–1890 *L'église d'Auvers-sur-Oise* 1890 Huile sur toile 94/74,5 cm

Le participe présent comme adjectif

Employé comme adjectif, le participe présent s'accorde avec le sujet. Il n'exprime pas une action mais un état.

Regardez la description de la toile de Van Gogh, *L'église d'Auvers*; dans le guide du musée d'Orsay:

> Les formes tournantes et mouvantes de *L'église d'Auvers*, à la couleur «expressive, somptueuse» transforment en un motif dramatique et violent la paisible église de village;

tournantes – s'accorde avec formes (f., pluriel). L'église ne tourne pas.
C'est l'état que l'adjectif décrit et pas l'action de tourner.

passé antérieur

The past anterior, like the pluperfect, describes an action which had already taken place *before another action.* It is used in sentences whose main clause is in the past historic. The past anterior is often introduced by, *quand, dès que, aussitôt que* and *après que*

e.g. *Aussitôt que je fus entré(e) j'enlevai ma veste.* (As soon as I had come in I took off my coat.)

(voir le plus-que parfait, page 105–6)

L'antériorité indique qu'une action a lieu *avant* une autre action. Le passé antérieur (style soutenu) s'emploie avec *le passé simple* et marque l'antériorité par rapport à celui-ci. Le plus-que-parfait s'emploie avec le passé composé. Souvent le passé antérieur suit une conjonction de temps: ***quand, après que, dès que, aussitôt que.***

Exemple: *Ils entrèrent dans le bureau de l'administrateur. Quand ils* ***eurent enlevé*** *leur veste ils s'assirent.*

1. L'action d'enlever leur veste a lieu avant celle de s'asseoir.
2. Les verbes *entrer* et *s'asseoir* s'emploient au passé simple.
3. Le passé antérieur suit la conjonction, *quand.*

- Dans son roman, *La Peste,* Camus raconte comment Tarrou et Rambert visitent un camp d'isolement organisé par l'administration pour empêcher ceux qui sont en quarantaine d'habiter parmi les autres citoyens. Le camp est un ancien stade. L'administrateur est en train d'expliquer le système quand ils entendent une annonce:

> Puis les haut-parleurs, qui dans des temps meilleurs, servaient à annoncer le résultat des matches ou à présenter les équipes, déclarèrent en nasillant que les internés devaient regagner leurs tentes pour que le repas du soir pût être distribué. Lentement, les hommes quittèrent les tribunes et se rendirent dans les tentes en traînant le pas. *Quand ils furent tous installés,* deux petites voitures électriques, comme on en voit dans les gares, passèrent entre les tentes, transportant de grosses marmites.

Regardez comment on forme ce temps:
furent – le passé simple du verbe auxiliaire
installés – le participe passé

la peste plague
le haut-parleur loudspeaker
en nasillant with a nasal sound
la tribune grandstand
la marmite cooking pot

Activité 1

Remplissez les blancs dans les phrases suivantes avec le temps approprié: plus-que-parfait ou passé antérieur.

Exemple: *Ils ___ déjà [enlever] leur veste quand ils ont entendu le haut-parleur. (Réponse: avaient enlevé.)*

1. Dès qu'ils ___ [entendre] le haut-parleur ils sortirent.
2. Après que je ___ [entrer] je vis les internés.
3. Quand il ___ [partir] il s'est souvenu longtemps du camp.
4. Longtemps après qu'il ___ [partir] il se souvint de ce qu'il avait vu.
5. Quand on ___ [servir] tout le monde les voitures électriques se remirent en marche.

Activité 2

Ecrivez une histoire que vous connaissez bien. Variez-en le style en employant le passé antérieur, *une fois, ayant,* etc.

Exemple: *Elle rendit visite à sa grand-mère. Elle vint près du lit… Une fois arrivée chez sa grand-mère elle s'assit près du lit. Dès qu'il eut vu la petite fille le loup lui sourit.*

passé composé 1

The *passé composé* (perfect tense) is a two-part past tense which describes events which were completed at some fixed point or period of time in the past. Its use corresponds to *two* past tenses in English.

*I **smashed** a glass.*
*I've **smashed** a glass.*

The latter suggests that the glass was smashed a short time ago, whereas the former could relate to *any* given time in the past. In French, these shades of meaning are not distinguished, and the *passé composé* conveys both.

Un temps composé du passé qui raconte des événements accomplis à un moment (une période définie) du passé.

- Le roman d'Albert Camus, *L'Etranger,* raconte l'histoire de Mersault, un Français qui travaille comme employé de bureau en Algérie (à l'époque une colonie française). Au début du roman, Mersault apprend que sa mère est morte dans un asile. Il y va pour l'enterrement.

> J'*ai pris* l'autobus à deux heures. Il faisait très chaud. J'*ai mangé* au restaurant, chez Céleste, comme d'habitude... Quand je *suis parti*, ils m'*ont accompagné* à la porte. J'étais un peu étourdi parce qu'il *a fallu* que je monte chez Emmanuel pour lui emprunter une cravate noire et un brassard. Il *a perdu* son oncle il y a quelques mois.
>
> J'*ai couru* pour ne pas manquer le départ... J'*ai dormi* presque tout le trajet. Et quand je *me suis réveillé*, j'étais tassé contre un militaire qui m'*a demandé* si je venais de loin. J'*ai dit* «oui» pour n'avoir plus à parler.
>
> L'asile est à deux kilomètres du village. J'*ai fait* le chemin à pied. J'*ai voulu* voir maman tout de suite. Mais le concièrge m'*a dit* qu'il fallait que je rencontre le directeur. Comme il était occupé, j'*ai attendu* un peu. Pendant tout ce temps, le concièrge *a parlé* et ensuite, j'*ai vu* le directeur; il m'*a reçu* dans son bureau... Il m'*a regardé* de ses yeux clairs. Puis il m'*a serré* la main qu'il *a gardée** si longtemps que je ne savais trop comment la retirer. Il *a consulté* un dossier et m'*a dit*: «Mme Mersault *est entrée* ici il y a trois ans. Vous étiez son seul soutien». J'*ai cru* qu'il me reprochait quelque chose et j'*ai commencé* à lui expliquer. Mais il m'*a interrompu*: «Vous n'avez pas à vous justifier, mon cher enfant. J'*ai lu* le dossier de votre mère».

tous les verbes en italiques sont au passé composé

* *voir **Extra!** (page 96) et l'accord du participe passé (page 33–4)*

l'asile (m) nursing-home
l'enterrement (m) burial, funeral
le brassard (black) arm-band
tassé squashed
le soutien relative

L'essentiel de ce récit est une ***série d'événements séparés et accomplis*** qui ont tous eu lieu a un ***moment déterminé du passé.*** Mersault aurait pu faire ce résumé des événements de la journée.

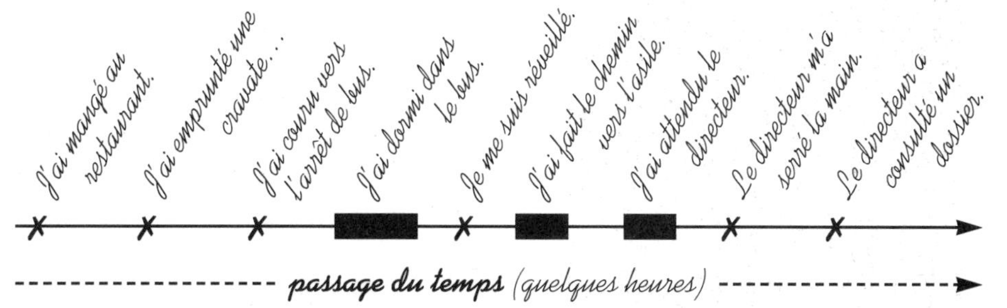

Dans un récit, on utilise le ***passé composé*** (comme son nom l'indique, un temps composé de ***deux éléments***) pour décrire une ***action passée*** qui a eu lieu pendant un moment (ou une tranche de temps) défini, et qui ***ne dure plus.***

Langue parlée/langue écrite: le *passé composé* est très courant dans la langue parlée. Dans la langue écrite, on substitue souvent le *passé simple* qui a la même fonction.

passé composé 2

- Après l'enterrement de sa mère, Mersault est retourné chez lui. Un peu étourdi par ce qui s'est passé, il a regardé par la fenêtre de son appartement:

> Les lampes de la rue *se sont* alors *allumées* brusquement... J'*ai senti* mes yeux se fatiguer à regarder ainsi les trottoirs avec leur chargement d'hommes et de lumières. Peu après, avec les tramways plus rares et la nuit déjà noire au-dessus des arbres et des lampes, le quartier *s'est vidé* insensiblement... J'*ai pensé* alors qu'il fallait dîner. Je *suis descendu* acheter du pain et des pâtes, j'*ai fait* ma cuisine et j'*ai mangé* debout. J'*ai* encore *voulu* fumer une cigarette à la fenêtre, mais l'air avait fraîchi et j'*ai eu* un peu froid. J'*ai fermé* mes fenêtres et en revenant j'*ai vu* dans la glace un bout de table où ma lampe à alcool voisinait avec des morceaux de pain.

tous les verbes en italiques sont au passé composé

étourdi bewildered
le chargement crowd (load)
insensiblement imperceptibly
les pâtes pasta
voisiner to stand next to

Activité 1

Lisez l'extrait ci-dessus, et puis complétez ce résumé schématique:

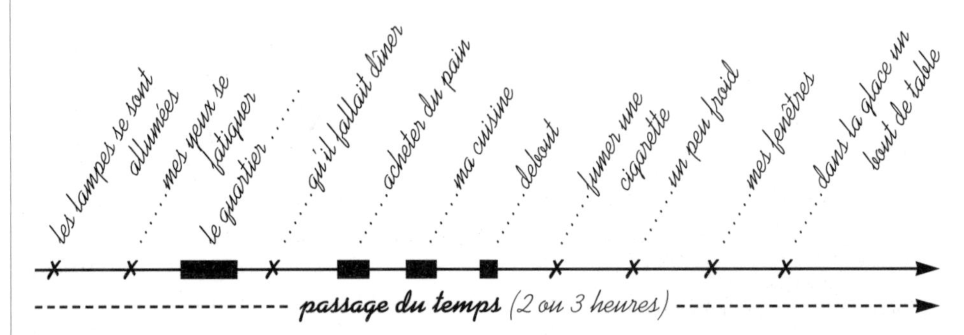

La formation du passé composé

Il y a deux éléments:

1 premier élément	+	2 deuxième élément
verbe auxiliaire* (**avoir** ou **être**) au temps présent		participe passé du verbe

**Auxiliaire, (auxiliary) means 'helping'. The auxiliary verb helps the main verb to form its compound tenses.*

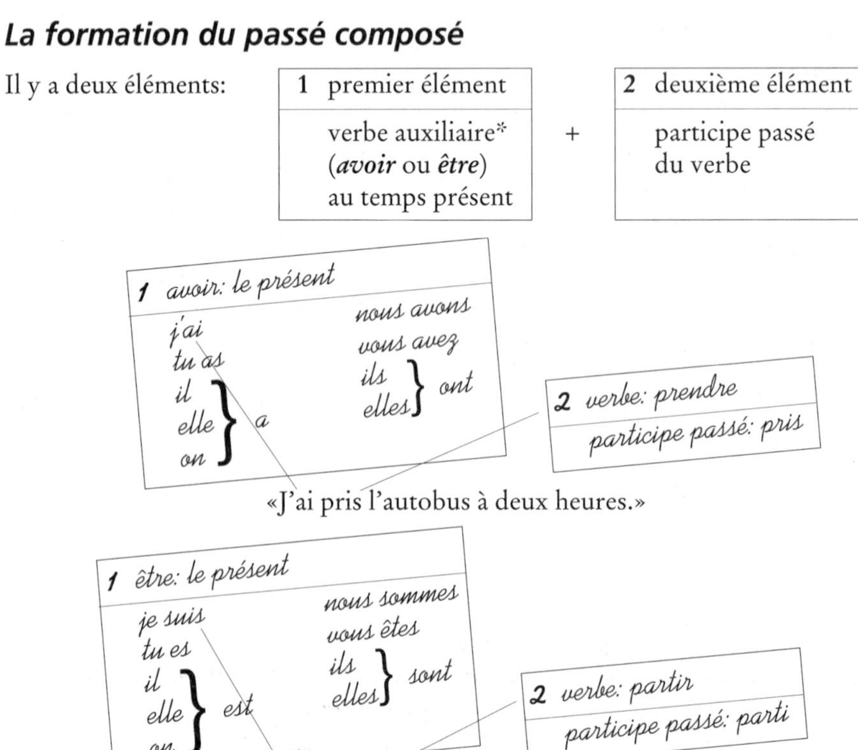

passé composé 3

1 premier élément
verbe auxiliaire *(avoir* ou *être)* au temps présent

l'auxiliaire

avoir ou **être?**

■ **avoir:** la plupart des verbes sont formés des temps composés avec ***avoir*** comme verbe auxiliaire.

◆ **être:** les verbes de ce tableau forment leurs temps composés avec ***être*** comme auxiliaire.

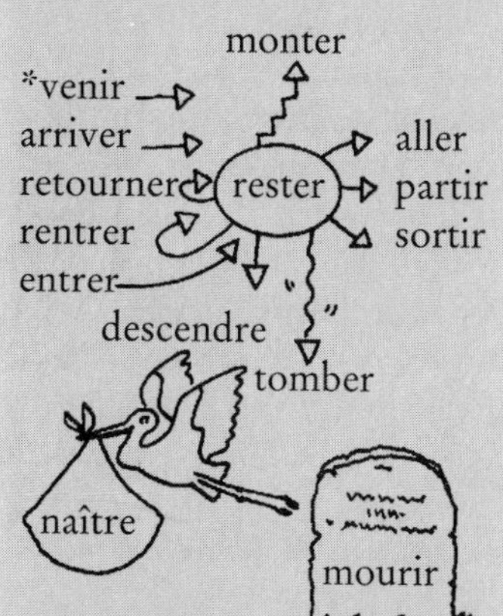

**+ les verbes qui comprennent venir: revenir, devenir, parvenir...*

Ces verbes, qui expriment tous une idée de mouvement (sauf «rester» qui indique plûtot une absence de mouvement) sont peu nombreux, mais très fréquemment utilisés, surtout en langue parlée.

Extra! (page 95)

● **être: tous** les verbes pronominaux (se lever, se réveiller etc., voir page 135) sont formés aux temps composés avec ***être*** comme verbe auxiliaire, précédé du **pronom pronominal** (me, te, se...)

Extra! (page 95–6)

Voici la liste des verbes au passé composé tirés des deux extraits de l'Etranger:

■	j'ai	pris	**-re** irrég.
■	j'ai	mangé	**-er**
◆	je suis	parti	**-ir** irrég.
■	ils (m')ont	accompagné	**-er**
■	il a	fallu	**-oir** rég.
■	il a	perdu	**-re** rég.
■	j'ai	couru	**-ir** irrég.
■	j'ai	dormi	**-ir** irrég.
●	je me suis	réveillé	**-er**
■	(un militaire qui m')a	demandé	**-er**
■	j'ai	dit	**-re** irrég.
■	j'ai	fait	**-re** irrég.
■	j'ai	voulu	**-oir** rég.
■	(le concierge m')a	dit	**-re** irrég.
■	j'ai	attendu	**-re** rég.
■	j'ai	vu	**-oir** rég.
■	il (m')a	reçu	**-oir** irrég.
■	il (m')a	regardé	**-er**
■	il (m')a	serré	**-er**
■	(la main qu')il a	gardée	**-er**
■	il a	consulté	**-er**
■	il(m')a	dit	**-re** irrég.
◆	Mme Mersault est	entrée	**-er**
■	j'ai	cru	**-re** irrég.
■	j'ai	commencé	**-er**
■	il(m')a	interrompu	**-re** rég.
■	j'ai	lu	**-re**
●	les lampes se sont	allumées	**-er**
■	j'ai	senti	**-ir** irrég.
●	le quartier s'est	vidé	**-er**
■	j'ai	pensé	**-er**
◆	je suis	descendu	**-re** rég.
■	j'ai	fait	**-re** irrég.
■	j'ai	mangé	**-er**
■	j'ai (encore)	voulu	**-oir** rég
■	j'ai	eu	**-oir** irrég.
■	j'ai	fermé	**-er**
■	j'ai	eu	**-oir** irrég.
■	j'ai	vu	**-oir** rég.

A noter

– Le verbe auxiliaire reste le même pour tous les temps composés d'un verbe.
(voir le plus-que parfait, page 106)

– voir le négatif (page 86)

2 deuxième élément
le participe passé du verbe

le participe passé

pour former le **participe passé**

-er
tous les verbes en *-er* à l'infinitif forment leur ***participe passé*** en éliminant le *-er* qu'on remplace par *-é*

mang*er*	mang~~er~~	mang*é*
demand*er*	demand~~er~~	demand*é*

-ir rég.
les verbes ***réguliers*** en *-ir* (voir temps présent page 109)

-ir irrég.
et certains irréguliers sont mis au participe passé éliminant le *-ir* de l'infinitif qu'on remplace par *-i*:

fin*ir*	fin~~ir~~	fin*i*
réag*ir*	réag~~ir~~	réag*i*
part*ir*	part~~ir~~	part*i*

Mais on trouve aussi d'autres terminaisons, notamment:
-~~ir~~ → *u*   cour~~ir~~ → cour*u*

les verbes conjugués avec être font accorder le participe passé avec le sujet:
*sujet: Mme Mersault (f.s.) + **e***
*sujet: les lampes (f.p.) + **es***

-re rég.
La forme régulière des verbes en *-re* consiste à remplacer le *-re* de l'infinitif par *-u*:

perd*re*	perd~~re~~	perd*u*

-re irrég.
On trouve des exceptions:
ri~~re~~ → *–ri*

sour*ire*	souri~~re~~	sour*i*

-oir rég.
Pour le petit groupe de verbes en *-oir normalement on élimine la terminaison -oir* qu'on remplace par *-u*:

voul*oir*	voul~~oir~~	voul*u*
fall*oir*	fall~~oir~~	fall*u*

-oir irrég.
Certains sont irréguliers:
avoir → eu   recevoir → reçu

passé composé 4

Activité 2

Lisez ces extraits (toujours de *l'Etranger)* et élaborez une liste des verbes au passé composé, comme nous l'avons fait à la page précédante:

Exemples:

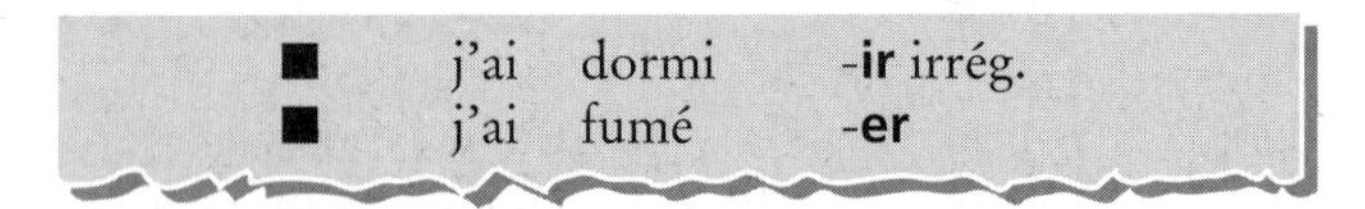

... j'ai dormi jusqu'à dix heures. J'ai fumé ensuite des cigarettes, toujours couché, jusqu'à midi. Je ne voulais pas déjeuner chez Céleste comme d'habitude...

Après le déjeuner, je me suis ennuyé un peu et j'ai erré dans l'appartement. Il était commode quand maman était là. Maintenant il est trop grand pour moi et j'ai dû transporter dans ma chambre la table de la salle à manger...

Le reste est à l'abandon. Un peu plus tard, pour faire quelque chose, j'ai pris un vieux journal et je l'ai lu. J'y ai découpé une réclame des sels Kruschen et je l'ai collée dans un vieux cahier où je mets les choses qui m'amusent dans les journaux. Je me suis aussi lavé les mains et, pour finir, je me suis mis au balcon.

... je suis rentré pour prendre un morceau de chocolat et je suis revenu le manger à la fenêtre. Peu après, le ciel s'est assombri et j'ai cru que nous allions avoir un orage d'été. Ils s'est découvert peu à peu cependant... Je suis resté longtemps à regarder le ciel.

A cinq heures, des tramways sont arrivés dans le bruit. Ils ramenaient du stade de banlieue des grappes de spectateurs... Les tramways suivants ont ramené les joueurs que j'ai reconnus à leurs petites valises. Plusieurs m'ont fait des signes. L'un m'a même crié: «On les a eus.»... A partir de ce moment les autos ont commencé à affluer.

erré wandered about
la réclame advert
des sels Kruschen Epsom salts
l'orage (m) storm
la grappe bunch
affluer (increase their) flow

voir Extra! (page 96)

Activité 3

Dans cet extrait, il manque les verbes au passé composé. A vous de remplir les formes correctes à partir de l'infinitif indiqué.

Mersault est à la plage avec des amis:

De la pente qui descendait vers la mer nous ____[1] qu'il y avait déjà quelques baigneurs...

Masson voulait se baigner, mais sa femme et Raymond ne voulaient pas venir. Nous ____[2] tous les trois et Marie ____ immédiatement____[3] dans l'eau. Masson et moi, nous ____[4] un peu ... J'____[5] par dire à Masson «On y va?» J'____[6]. Lui ____[7] dans l'eau doucement et ____[8] quand il avait perdu pied. (...) Avec Marie, nous ____[9] et nous nous sentions d'accord dans nos gestes et dans notre contentement...

... Alors j'____[10] Marie et je ____[11] en nageant regulièrement et en respirant bien. Sur la plage, je ____[12] à plat ventre près de Masson et j'____[13] ma figure dans le sable. Je lui ____[14] que «c'était bon» et il était de cet avis. Peu après, Marie ____[15]. Je ____[16] pour la regarder avancer.

1 voir
2 descendre
3 se jeter
4 attendre
5 finir
6 plonger
7 entrer
8 se jeter
9 s'éloigner
10 laisser
11 rentrer
12 s'étendre
13 mettre
14 dire
15 venir
16 se retourner

passé composé 5

Extra! Transitive/intransitive verbs

The verbs in the diagram on the left-hand side of page 93 usually take *être* as their auxiliary, and when they do so are **intransitive** i.e. verbs which cannot be followed by a direct object.

Verb used intransitively is a better definition than **intransitive verb**, as a great many verbs can have a transitive *or* intransitive use:

intransitive *They danced* ***all night.***

transitive *They danced* ***the Tango.***

However, some verbs which normally take *être* as their auxiliary can also be used as **transitive** verbs (i.e. verbs which *can* have a direct object). This changes their meaning:

intransitive *Il est sorti* ***du restaurant.***
(He went out of the restaurant.)

transitive *Il a sorti* *ses clés.*
(He took out his keys.)

So the rule with these verbs is:
intransitive?... perfect tense with ***être***
transitive? (rarer)... perfect tense with *avoir*

Extra! Verbes transitifs/intransitifs

Les verbes du tableau ◆ **être** à la page 93 forment d'habitude leur ***passé composé*** avec ***être*** comme verbe auxiliaire, étant alors des verbes ***intransitifs.*** Est ***intransitif*** un verbe qui exprime une action qui n'est pas reçue par un complément d'objet direct.

On ferait mieux de dire *verbe employé de manière transitive*, car beaucoup de verbes peuvent s'employer *ou* intransitivement *ou* transitivement:

intransitif *Ils ont dansé* ***toute la nuit.*** *complément circonstanciel de temps: pas de complément d'objet direct*
transitif *Ils ont dansé* ***le Tango.*** *complément d'objet direct*

Ces mêmes verbes peuvent, cependant, être utilisés en tant que verbes ***transitifs*** (verbes admettant un complément d'objet direct):

Il est sorti ***du restaurant.*** *intransitif: complément circonstanciel de lieu*
Il a sorti ***ses clés.*** *transitif: complément d'objet direct:*

La règle générale:
emploi intransitif: Le passé composé est conjugué avec ***être.***
emploi transitif (plus rare): Le passé composé est conjugué avec ***avoir.***

Activité 4
Vérifiez et appréciez les possibilités intransitives et transitives des verbes du tableau à la page 93 en cherchant dans un grand dictionnaire français des exemples de leur emploi.

Extra! Reflexive verbs

Reflexive verbs (page 135–8) always need a reflexive pronoun and in the ***passé composé*** (perfect tense) they always have ***être*** as the auxiliary. Consequently, as with other verbs conjugated with ***être,*** the past participle agrees with the subject in gender and in number, (adding **-*e*** for feminine, **-*s*** for plural).

The definition **verb used reflexively** is more useful than the term **reflexive verb** as many verbs can have a non-reflexive *and* a reflexive use: *laver/se laver* (to wash (something)/to wash (oneself)).

All **reflexive** verbs used in a non-reflexive way, i.e. without a reflexive pronoun and followed by a direct object, use ***avoir*** as their auxiliary in compound tenses:

Il a lavé les légumes.
(The verb here is *laver* not *se laver.*)

Extra! Verbes pronominaux

Les *verbes pronominaux* ont toujours besoin de la présence d'un *pronom pronominal* (***me, te, se, nous, vous, se***) y compris dans la formation du passé composé.

On ferait mieux de dire ***verbe employé de manière pronominale*** car beaucoup de verbes peuvent s'employer *ou* pronominalement *ou* non-pronominalement: *laver/se laver,* **ex:** laver... un objet/faire sa toilette.

Tous les verbes *pronominaux* employés sans pronom pronominal et suivis d'un complément d'objet direct, forment le passé composé (ainsi que tous les temps composés) avec ***avoir*** comme verbe auxiliaire:

Il ***a lavé*** *les légumes.*
(infinitif: *laver* et non pas *se laver*)

La maison Dior *a habillé* toutes les vedettes du film.
(infinitif: *habiller* et non pas *s'habiller*)

Au passé composé le verbe à la forme pronominale est obligatoirement conjugué avec ***être*** comme verbe auxiliaire.

Par conséquent, le participé passé *s'accorde* avec la personne, le nombre et le genre du sujet.

voir aussi: Accord: verbes (page 33–4)

passé composé 6

Exemples:

Mersault *[sujet] s'est retourné.* *masculin singulier*

Madame Mersault *[sujet] s'est install**ée** dans un asile.* *féminin singulier + –e*

Les spectateurs *[sujet] se sont dirig**és** vers les tramways.* *masculin pluriel + –s*

Marie et Mme Mersault *[sujet] ne se sont jamais conn**ues**.* *féminin pluriel + –es*

Activité 5

Regardez les exemples ci-dessus et puis conjuguez, au passé composé, ces verbes pronominaux:

1 Mersault et Raymond ___ des deux Arabes. [s'approcher]
2 Marie ___ vers Mersault. [se retourner]
3 Les rues ___ progressivement. [se vider]
4 Marie et Mersault ___. [s'embrasser]
5 Raymond ___ vers les policiers. [se diriger]

Extra! L'auxiliaire avoir *et l'accord du participe passé*

*Puis, il m'a serré **la main qu'**il a gardée si longtemps…* *la main est le complément d'objet direct de gardée.*

*Les tramways suivants ont ramené **les joueurs que** j'ai reconnus à leurs petites valises…* *les joueurs: complément d'objet direct de reconnu.*

*L'un m'a même crié «on **les** a eus».* *les = pronom de complément d'objet direct de eu*

Vous avez vu qu'il faut faire accorder le participe passé en genre et en nombre avec le sujet lorsque le verbe est conjugué avec l'auxiliaire ***être*** au ***passé composé***. Vous avez vu aussi que normalement il n'y pas d'accord en ce qui concerne les verbes qu'on conjugue avec ***avoir***. Cependant, comme les exemples ci-dessus le montrent, même les verbes conjugués avec l'auxiliaire ***avoir*** s'accordent avec le complément d'objet direct (nom ou pronom) quand il est placé ***avant le verbe***.

Activité 6

Alors, accord ou pas d'accord?

Le procureur s'est assis___[1], toujours dans le silence. Mais tout à coup, Marie a éclaté___[2] en sanglots. L'huissier, sur un signe du président, l'a emmené___[3] et l'audience s'est poursuivi___[4]. On a appelé___[5] Masson et Salamano. Personne n'a écouté___[6] les réponses qu'ils ont donné___[7].

le procureur prosecutor (in court)
l'huissier (m) court usher
le président magistrate

Langue parlée / langue écrite

Ce phénomène est parfois remarquée dans la langue parlée par une différence de prononciation, lorsque le participe passé se termine par une consonne:

Un livre que j'ai écrit. *on n'entend pas le t*
Une lettre que j'ai écrite. *on entend le t*
Le café? Je l'ai déjà fait. *on n'entend pas le t*
La lessive? Je l'ai déjà faite. *on entend le t*

passé composé et imparfait

The *passé composé* (perfect tense) and the *imparfait* (imperfect tense) can be found together. They are past tenses with differing forms and functions.

voir aussi pages 68–71

The perfect describes

a single completed actions in the past;

b repeated actions done during a closely-defined period in the past.

The imperfect describes

a actions which happened frequently or habitually in the past;

b events which happened, or states which pertained, during which time other actions were completed;

c the state or condition of things or people during time past.

lorgner to peer at
faire la fugue to run away
la courroie strap
secouer to shake
la miette crumb
la poussière dust
plier to fold
faillir faire quelque chose to almost do something

- Voici un extrait de *Fugue en haine majeure* de Anne Saraga. Cette fois nous avons distingué non seulement les verbes au passé composé mais aussi ceux qui sont à l'imparfait, car les deux temps du passé peuvent «co-habiter» dans un même texte, dans une même phrase.

Anne raconte comment, pour attirer l'attention de ses parents, elle leur a volé de l'argent.

> Je *passais* un weekend sur deux chez mon père. Le samedi matin, il *m'envoyait* chercher des croissants, et je *gardais* quelques francs. Mes parents ne *semblaient* pas s'en apercevoir. Longtemps, *j'ai cru* qu'ils *savaient* et *refusaient* de me le dire. Je *scrutais* leurs yeux en leur rendant la monnaie, pour y trouver une trace de doute ou de mécontentement. Il *n'y avait* dans leur pupilles qu'une dérisoire indifférence.
>
> Un de ces dimanches, en septembre, un mois avant mes neuf ans, mon père *m'a donné* 100 francs pour acheter trois croissants. Pourquoi autant? Il *me donnait* habituellement 10 ou 20 francs. Peut-être *n'avait-il* pas de monnaie? En revenant de la boulangerie, je *n'ai pas pensé* à cela. *J'ai lorgné* les gens dans les voitures en me demandant où *ils allaient*. Je *ne lui ai pas rendu* un centime. *J'ai fait semblant* d'avoir oublié et il *ne m'a rien demandé*.

L'imparfait

L'imparfait marque:

1 l'habitude: *Il me donnait habituellement...*
2 les actions en cours: *où ils allaient...*
3 le cadre, les circonstances: *Il n'y avait dans leurs pupilles...*

Le passé composé

Le passé composé raconte un événement à un moment précis du passé: *il ne m'a rien demandé*. Cet événement peut durer longtemps, ou être répété mais ne dure plus et la tranche du temps est bien définie: *Longtemps j'ai cru...*

Activité 1

Faites deux listes des verbes dans ce texte et expliquez l'emploi du passé composé ou de l'imparfait.

Activité 2

Remplissez les blancs dans le passage suivant, également tiré de *Fugue en haine majeure*, en choisissant le temps approprié du verbe (le passé composé ou l'imparfait). Anne a décidé de faire une fugue et elle regarde sa chambre une dernière fois.

Seul mon départ ___ [avoir] de l'importance. Seul ___ [compter] le vieux sac à dos de toile kaki aux grosses poches fermées de courroies de cuir brun. Il ___ [appartenir] à mon père. Je le ___ [secouer] pour le vider des miettes, de la poussière et des souvenirs. Je ___ [plier] un pantalon. Un instant je ___ [faillir] baisser la tête et penser... Non! Je ___ [regarder] autour de moi, et soudain je ___ [être pris] d'une haine formidable contre ces murs, cette armoire, ce plafond, cette lampe blanche. Tous ces objets ___ [être] odieux.

passé simple 1

This is the past tense used mainly in books or newspaper accounts. It is rarely used in conversation. It is used with the pluperfect and the imperfect just as, in speech, the perfect tense is used with the pluperfect and imperfect. When talking we would say: *Il a suivi son père* but in writing: *Il suivit son père*.

Le passé simple s'emploie dans la plupart des cas dans les récits écrits. (Son équivalent, dans la langue parlée, est le passé composé.)

Le passé simple, comme le passé composé, exprime une action achevée, tandis que l'imparfait exprime une action inachevée.

- Dans son autobiographie, *La Gloire de mon père* Marcel Pagnol raconte comment, tout petit, il avait suivi son père et son oncle quand ils étaient partis à la chasse:

> *Je montai* la pente en courant aussi légèrement que *je pus*, jusqu'à l'orée de la pinède. *Je m'arrêtai, j'écoutai: il me sembla percevoir*, plus haut, un bruit de pas dans les pierres. *Je repris* ma course, en rasant les fourrés. *J'arrivai* à la fin de la première pinède, au bord d'un plateau: on y avait jadis, cultivé des vignes. Des sumacs, des romarins, des cades les avaient remplacées. Mais cette végétation n'était pas très haute, et *je vis* au loin la casquette et le béret. Ils avaient encore le fusil à l'épaule, et marchaient toujours d'un bon pas. Près d'un grand pin, *ils s'arrêtèrent*.

les exemples du passé simple sont en italiques

They were walking (imparfait); while they were walking Marcel saw them.

l'orée (f) edge
la pinède pine forest
le fourré thicket
jadis long ago
le sumac plant from the turpentine family
le romarin rosemary
le cade juniper
le fusil gun
la casquette cap
l'auditeur (m)/**l'auditrice** (f) listener

- Plus tard, Marcel parle avec son père et son oncle. Cette fois, puisqu'il parle, il emploie le passé composé:

> Justement, *je me suis perdu*, dis-je...je vais tout raconter, mais d'abord, il faut me faire boire: je meurs de soif depuis ce matin...
> – Comment? s'écria mon père. *Tu n'as pas déjeuné* à la maison?
> – Non, *je vous ai suivis* de loin...

les exemples du passé composé sont en italiques

- Dans cet extrait de *Djinn* d'Alain Robbe-Grillet, Marie demande une histoire, mais se plaint quand la narratrice emploie le temps présent. La narratrice recommence, employant le passé composé, mais Marie se plaint de nouveau, disant qu'il faut employer le passé historique. D'habitude on ne prononce que rarement ce temps, car le passé simple (historique) est pour les histoires, et donc écrit.

> Je demande quel genre d'histoire elle désire. Elle veut — c'est catégorique — une «histoire d'amour et de science-fiction», ce dernier mot étant prononcé à la française, bien entendu. Je commence donc:
> «Voilà. Un robot rencontre une jeune dame...»
> Mon auditrice ne me laisse pas aller plus loin.
> «Tu ne sais pas raconter, dit-elle. Une vraie histoire, c'est forcément au passé.
> — Si tu veux. Un robot, donc, a rencontré une...
> — Mais non, pas ce passé-là. Une histoire, ça doit être au passé historique. Ou bien personne ne sait que c'est une histoire.»
> Sans doute a-t-elle raison. Je réfléchis quelques instants, peu habitué à employer ce temps grammatical, et je recommence:
> «Autrefois, il y a bien longtemps, dans le beau royaume de France, un robot très intelligent, bien que strictement métallique, rencontra dans un bal, à la cour, une jeune et jolie dame de la noblesse. Ils dansèrent ensemble. Il lui dit des choses galantes. Elle rougit. Il s'excusa.

présent

passé composé

passé simple

passé simple 2

Activité 1

Marcel parle avec son frère, lui racontant son aventure. Qu'est-ce qu'il écrit dans son autobiographie pour raconter l'histoire.

Remplacez le passé-composé par le passé simple.

Exemple:
J'ai regardé derrière moi et j'ai vu une montagne.
Je **regardai** *derrière moi et je vis une montagne.*

1 *Je n'ai entendu* qu'un silence de mort.
2 *J'ai été* d'abord perplexe, puis inquiet.
3 *J'ai regardé* encore, et de tous côtés.
4 *J'ai décidé* alors de retourner à la maison.
5 *Je suis* donc *revenu* sur mes pas.
6 *Mon père m'a regardé* avec tendresse, *m'a caressé* les cheveux; puis *il a déchargé* son fusil et *me l'a tendu.*
7 *Il a ouvert* ensuite son carnier.

le carnier gamebag

● Dans *La Maison de papier* de Françoise Mallet-Joris, elle réfléchit à son fils Daniel qui vient d'avoir dix-huit ans. Elle se souvient de chaque étape de son éducation. Puisque chaque étape se termina avant la suivante, il fallait employer le passé simple, plutôt que l'imparfait, pour dire ce qu'il fit.

A cinq ans il manifesta un précoce instinct de protection en criant dans le métro, d'une voix suraïgue, «Laissez passer ma maman.» A neuf ans nous eûmes quelques conflits. Il refusa d'aller à l'école, de se laver, et de manger du poisson. Un jour je le plongeai tout habillé dans une baignoire, un autre jour Jacques le porta sur son dos à l'école; il hurla tout le long du chemin. Ces essais éducatifs n'eurent aucun succès. Du reste, il se corrigea tout seul. Nous décidâmes de ne plus intervenir.

l'étape (f) stage
précoce precocious
suraïgu piercing
la baignoire bath
hurler to yell

Activité 2

1 Relevez les exemples du passé simple.
2 Inventez d'autres étapes dans sa vie. Ecrivez ce qu'il fit à dix ans, à onze ans, à treize ans, à seize ans.

Activité 3

● Lisez ces *Souvenirs de vacances* de Robert Sabatier. Il raconte des vacances passées, un été, chez M. Caron, jardinier.

Les verbes à l'imparfait et au passé simple ont été supprimés. Remplacez les infinitifs par le verbe au temps approprié:

J'[avoir] neuf ans. J'[être] petit Parisien. Le médecin me trouvant pâlot [parler] à ma mère d'un jardinier qui recevrait volontiers un petit garçon pour l'été. Et c'est ainsi que je [être] mis dans un train départemental qui [s'arrêter] devant une gare minuscule à Nesle-la-Vallée. Un cantonnier m'[indiquer] le chemin…
Le jardinier [arriver]. Je le [reconnaître]. De son métier il [avoir] les atours: grand tablier bleu à poche d'où [dépasser] des manches d'outils, chapeau de paille et des moustaches taillées avec le même soin que ses rosiers.

pâlot peaky
le cantonnier roadman, linesman
les atours (mpl)
le tablier apron
le manche handle
l'outil (m) tool

Activité 4

En employant le passé composé, racontez à un partenaire des souvenirs de vacances. Ecoutez les siens. Ecrivez son histoire en employant le passé simple.

passé simple 3

Les formes du passé simple

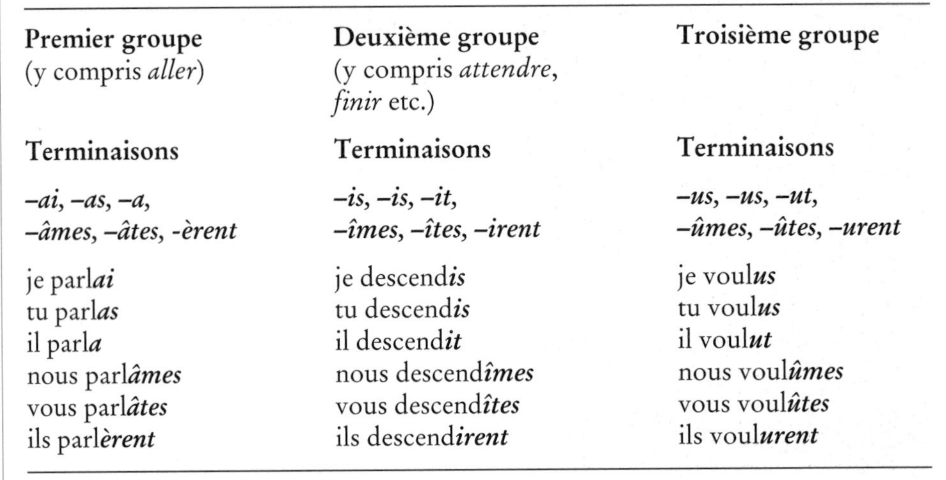

Premier groupe (y compris *aller*)	Deuxième groupe (y compris *attendre*, *finir* etc.)	Troisième groupe
Terminaisons	**Terminaisons**	**Terminaisons**
–ai, –as, –a, –âmes, –âtes, -èrent	*–is, –is, –it, –îmes, –îtes, –irent*	*–us, –us, –ut, –ûmes, –ûtes, –urent*
je parl***ai***	je descend***is***	je voul***us***
tu parl***as***	tu descend***is***	tu voul***us***
il parl***a***	il descend***it***	il voul***ut***
nous parl***âmes***	nous descend***îmes***	nous voul***ûmes***
vous parl***âtes***	vous descend***îtes***	vous voul***ûtes***
ils parl***èrent***	ils descend***irent***	ils voul***urent***

Mais

venir		tenir	
je vins	nous vînmes	je tins	nous tînmes
tu vins	vous vîntes	tu tins	vous tîntes
il vint	ils vinrent	il tint	ils tinrent

A noter

Premier groupe

aller	
j'all***ai***	nous all***âmes***
tu all***as***	vous all***âtes***
il all***a***	ils all***èrent***

Deuxième groupe

s'asseoir	je m'assis
battre	je battis
conduire	je conduisis
craindre	je craignis
cueillir	je cueillis
dire	je dis
dormir	je dormis
écrire	j'écrivis
faillir	je faillis
faire	je fis
mettre	je mis
naître	je naquis
ouvrir	j'ouvris
prendre	je pris
rire	je ris
servir	je servis
suivre	je suivis
voir	je vis

Troisième groupe

avoir	j'eus
être	je fus
boire	je bus
connaître	je connus
courir	je courus
croire	je crus
devoir	je dus
falloir	il fallut
lire	je lus
mourir	je mourus
plaire	je plus
pleuvoir	il plut
pouvoir	je pus
recevoir	je reçus
résoudre	je résolus
savoir	je sus
vivre	je vécus

Les formes du passé simple sont vraiment simples à apprendre car tous les verbes, réguliers et irréguliers n'appartiennent qu'à trois groupes.

passif 1

The active voice expresses an action which the subject takes:
*He **has broken** my heart.*
subject — *action taken by subject*

The passive voice expresses an action to which the subject submits:
*My heart **has been broken*** (by him).
subject — *action to which subject submits*

It is used frequently in formal French, particularly in newspaper accounts of crime or accidents.

It is made up of the verb *être* and the past participle which agrees with the subject: *Mon coeur **a été brisé**. Ses lettres **lui seront rendues**.*

la rame train
à proprement parler strictly speaking
faire remarquer to point out
mal lui en prend he has cause to regret it
d'arbitraire et de haine inouïe random and unheard of hatred
plaquer à terre to pin to the ground
la jeune Antillaise the young West Indian woman
l'incisive (f) tooth
se rendre sur place to arrive, go there
le procès-verbal statement

La voix passive indique que le sujet subit l'action:

*Les jeunes gens **ont été arrêtés**.*
sujet — *voix passive*

La voix active indique que c'est le sujet qui agit:

L'inspecteur a arrêté les jeunes gens.
sujet — *voix active*

Elle s'emploie sous la forme: ***être + participe passé***.

- Dans le passage suivant, le journaliste raconte un incident où deux personnes ont subi une attaque.

Mercredi 7 octobre, sur les quais du métro Réaumur-Sébastopol. Il est tard, sans doute un peu plus de 21 heures, et les voyageurs peu nombreux. Parmi eux, deux jeunes Noirs, Thierry N., vingt-cinq ans, employé, et sa sœur, Jeanne, un jeune médecin de trente-trois ans, qui attendent la rame tranquillement assis sur les bancs. Passe une patrouille de police. Formule rituelle: «Vos papiers.» Le ton n'est pas à proprement parler amical, et Thierry ne manque pas de le faire remarquer. Mal lui en prend. «En quelques heures, ces deux jeunes gens *vont être entraînés* dans une tempête de violences d'arbitraire et de haine inouïe» s'est indigné hier Albert Lévy, secrétaire général du MRAP (Mouvement contre le racisme et pour l'amitié entre les peuples). *passif*

«*J'ai* immédiatement *été empoigné* par un agent en civil, *bousculé* et *envoyé balader* contre le mur», raconte Thierry. Affolée, Jeanne se met à crier et se jette sur les policiers pour protéger son frère. La jeune Antillaise *est aussitôt plaquée* à terre et reçoit un jet de gaz lacrymogène en pleine face. Pour Jeanne, les coups de pieds. Pour Thierry, les coups de poing. Bilan: dix jours d'arrêt maladie pour la jeune femme et deux incisives cassées pour Thierry, encore actuellement sous contrôle médical. Avant même de pouvoir se faire soigner, *les deux jeunes gens sont conduits* au commissariat du IIe arrondissement, puis transférés à celui du XVIIIe. Entre-temps, *la famille est avertie* par des amis et se rend sur place. On leur interdira l'accès au poste de police ou sont enfermés leurs enfants. *passif* *passif* *passif*

Thierry et Jeanne *ne seront relâchés* que vers 0 h 30 après qu'un inspecteur de police eut tenté de leur faire signer un procès-verbal pour «trouble à l'ordre public». Ce qu'ils ont refusé. En revanche, Jeanne et Thierry ont décidé de porter plainte. Pour «l'exemple» et «aider ainsi ceux qui n'osent pas parler». Le MRAP, et sa présidente, Me George Pau-Langevin, devrait dans les prochains jours se porter partie civile à leurs côtés. Mais à la préfecture de police, on se refusait, hier, au moindre commentaire sur cette affaire. *passif*

Ph. P.-S

LE MATIN

Regardez ces exemples de la voix passive:
Le participe passé s'accorde avec le sujet:

Ces deux jeunes gens vont être entrainés...
masculin pluriel s'accordant avec «deux jeunes gens»

J'ai été empoigné, bousculé et envoyé balader...
masculin singulier s'accordant avec «je» (Thierry)

La jeune Antillaise est aussitôt plaquée à terre...
féminin singulier s'accordant avec «la jeune Antillaise»

Activité 1

Faites une liste chronologique des événements:

1 les deux jeunes gens attendent/attendaient un train.

2 ...

passif 2

La voix passive *est employée*.	voix passive
On emploie la voix passive.	on
La voix passive *s'emploie*.	verbe pronominal

Les trois exemples ci-dessus ont le même sens.

En voici d'autres, tirés du passage:

Les deux jeunes gens *sont transférés*.	voix passive
On leur interdira l'accès.	on
Avant de pouvoir *se faire soigner*.	verbe pronominal

Ne s'expriment pas au passif

1 les verbes intransitifs (c'est-à-dire les verbes comme *aller* qui n'admettent aucun complément d'objet)

Exemple: *La patrouille va dans le métro.*

2 les verbes transitifs indirects (c'est-à-dire les verbes dont le complément est construit avec une préposition)

Exemple: *Jeanne et Thierry ont décidé de porter plainte.*

Correct: On leur interdira l'accès.
L'accès ***leur sera*** interdit.

Incorrect: Ils ~~sont interdits~~ l'accès.

Style

Quelquefois, la voix passive est choisie à cause du style du passage. Le journaliste qui a écrit *Contrôle policier musclé dans le métro*, a employé la voix passive pour mettre en valeur les victimes

Activité 2

Trouvez les phrases dans le passage qui expriment:

1 Thierry and Jeanne will only be released at 0.30.
2 The family is told.
3 The two young people are taken to the police station.
4 She is immediately pinned to the ground.

Activité 3

Changez les phrases suivantes en employant le passif:

Exemple:
Le MRAP aide les deux jeunes gens. Les deux jeunes gens ***sont aidés*** *par le MRAP.*

1 Les voyageurs attendent la rame.
2 L'agent en civil prendra les papiers.
3 Jeanne va protéger son frère.
4 Les agents ont écrit un procès-verbal.
5 Quelqu'un a cassé une incisive.

Activité 4

Changez les phrases suivantes en employant le passif:

Exemple:
a Les agents leur ont montré un procès-verbal.
Un procès-verbal leur **a été montré**.
b Ils ont écrit un procès-verbal.
Un procès-verbal **a été écrit**.

1 Les amis ont transmis un message aux parents.
2 Les amis ont aidé les jeunes.
3 Les voyageurs ont battu les agents.
4 L'inspecteur a lu le procès-verbal aux prisonniers.

Activité 5

Inventez une conversation entre l'agent en civil et un autre agent qui n'avait pas assisté à l'incident.

Activité 6

Les deux jeunes gens ont refusé de signer le procès-verbal. Ecrivez le procès-verbal qu'ils auraient accepté de signer.

passif 3

1

BANLIEUES

Rixes entre bandes de jeunes à Aulnay-sous-Bois

Deux véhicules ont été incendiés, lundi 8 juillet, dans une station-service près de la cité des Trois-Mille à Aulnay-sous-Bois (Seine-Saint-Denis), où des échauffourées opposent des bandes rivales de jeunes de deux quartiers de la ville. Samedi 6 juillet au soir une première bagarre avait éclaté à l'issue d'un concert de rap aux Trois-Mille entre des jeunes de ce quartier et ceux de la cité voisine d'Emmaus. Le lendemain, à Emmaus, près de trois cents jeunes, appartenant aux deux groupes rivaux, armés de battes de base-ball et de barres de fer, avaient alors saccagé quinze voitures, cassant pare-brise et vitres. Malgré une réunion de conciliation entre les représentants du commissariat et des jeunes des deux quartiers, les incidents devaient reprendre lundi soir.

2

Nouvel attentat à Ajaccio

Un nouvel attentat à l'explosif a été commis à Ajaccio (Corse-du-Sud), dans la nuit du mardi 9 au mercredi 10 juillet, contre le bâtiment de la direction départementale de l'équipement qui a été sérieusement endommagé. Le concierge de l'immeuble a été commotionné. La charge, de forte puissance, selon les enquêteurs, avait été déposée devant l'entrée principale. La déflagration a totalement dévasté le rez-de-chaussée de l'immeuble ainsi que le premier étage.

Dans la nuit de vendredi à samedi, cet immeuble avait déjà été visé par un attentat.

3

En Seine-Maritime

Les deux gérants d'une discothèque et un employé inculpés après le «passage à tabac» d'un Marocain

ROUEN
de notre correspondant

Les deux gérants et un employé d'une discothèque de Seine-Maritime ont été inculpés, dimanche 20 novembre, à Rouen, de *«coups et blessures volontaires avec armes»*. Il leur est reproché d'avoir grièvement blessé un Marocain de vingt-six ans, Mohammed Fayez, habitant au Grand-Quevilly, près de Rouen, dans la nuit du 22 au 23 octobre à la porte de leur établissement, le «Macumba», situé à Yerville, en rase campagne.

L'un des cogérants, Jacky Bazin, a été écroué à la maison d'arrêt de Rouen; l'autre, Jean Maisonneuve, et l'employé, Daniel Grault, «videur» de la discothèque, ont été laissés en liberté sous contrôle judiciaire.

la rixe brawl
l'échauffourée (f) clash between gangs (with police)
la bagarre brawl
éclater to break out
à l'issue de at the end of
saccager to wreck, vandalize
l'attentat (m) (**à l'explosive**) criminal attempt, outrage
endommager to damage
commotionner to shock
la charge explosive
la puissance strength
l'enquêteur (m) investigator
la déflagration fire
viser to aim at
le gérant manager
le passage à tabac beating up
inculper to charge with
en rase campagne in open countryside
écrouer to imprison
le videur bouncer

Voici trois faits divers tirés du *Monde*. Le premier raconte ce qui s'est passé quand deux groupes de jeunes se sont attaqués. Le deuxième décrit un attentat en Corse et le troisième parle de l'arrestation d'hommes accusés d'avoir blessé un Marocain.

Activité 7

Relevez tous les exemples du passif dans les trois paragraphes.

Activité 8

Quelles phrases correspondent aux suivantes?

1 Le portier a reçu un choc.
2 Ils avaient laissé la charge devant la porte.
3 On avait déjà essayé de plastiquer le bâtiment.
4 Ils ont brûlé deux voitures.
5 Les agents ont imputé officiellement un crime aux deux gérants.
6 On a permis aux deux autres de partir.
7 Les terroristes ont mis le bâtiment en mauvais état.

Activité 9

Si vous êtes plusieurs dans le groupe, en travaillant avec un/une partenaire, préparez un des textes pour vos collègues en éliminant tous les 3/4 mots ou en éliminant tous les verbes. Vous pourriez le faire à l'aide d'un ordinateur. Ensuite, travaillez sur le texte qu'ils vous auront préparé.

passif 4

Nous sommes protégés par notre ceinture de sécurité.

Formes du passif

Tous les temps du verbe *être* suivi du participe passé.

Exemple: *protéger*

Indicatif

Présent

je	*suis*	protégé*(e)*
tu	*es*	protégé*(e)*
il	*est*	protégé
elle	*est*	protégé*e*
on	*est*	protégé
nous	*sommes*	protégé*(e)s*
vous	*êtes*	protégé*(e)(s)*
ils	*sont*	protégé*s*
elles	*sont*	protégé*es*

Futur

je	*serai*	protégé*(e)*
tu	*seras*	protégé*(e)*
il	*sera*	protégé
elle	*sera*	protégé*e*
on	*sera*	protégé
nous	*serons*	protégé*(e)s*
vous	*serez*	protégé*(e)(s)*
ils	*seront*	protégé*s*
elles	*seront*	protégé*es*

Imparfait

j'	*étais*	protégé*(e)*
tu	*étais*	protégé*(e)*
il	*était*	protégé
elle	*était*	protégé*e*
on	*était*	protégé
nous	*étions*	protégé*(e)s*
vous	*étiez*	protégé*(e)(s)*
ils	*étaient*	protégé*s*
elles	*étaient*	protégé*es*

Passé composé

j'*ai*	*été*	protégé*(e)*
tu *as*	*été*	protégé*(e)*
il *a*	*été*	protégé
elle *a*	*été*	protégé*e*
on *a*	*été*	protégé
nous *avons*	*été*	protégé*(e)s*
vous *avez*	*été*	protégé*(e)(s)*
ils *ont*	*été*	protégé*s*
elles *ont*	*été*	protégé*es*

Passé simple

je *fus* protégé*(e)*

Plus-que-parfait

j'*avais* *été* protégé*(e)*

Passé antérieur

j'eus *été* protégé*(e)*

Futur antérieur

j'*aurai* *été* protégé*(e)*

Conditionnel présent

je *serais* protégé*(e)*

Conditionnel passé

j'*aurais* *été* protégé*(e)*

Bébé, j'étais protégé par mon siège spécial. Maintenant, je suis protégé par mon casque.

Impératif

sois, soyons, soyez protégé*(e)(s)*

Subjonctif

Subjonctif présent

que je *sois* protégé*(e)*

Subjonctif imparfait

que je *fusse* protégé*(e)*

Subjonctif passé

que j'*aie* *été* protégé*(e)*

Subjonctif plus-que-parfait

que j'*eusse* *été* protégé*(e)*

Infinitif

être protégé*(e)*

Participe présent

étant protégé*(e)*

plus-que-parfait 1

The pluperfect tense *(plus-que-parfait)* describes an action which had already taken place **before** another past action.

As its name indicates, it is *more than perfect*, i.e. further back in the past than the perfect.

Le ***plus-que-parfait*** exprime une action ***antérieure*** à une autre action passée.

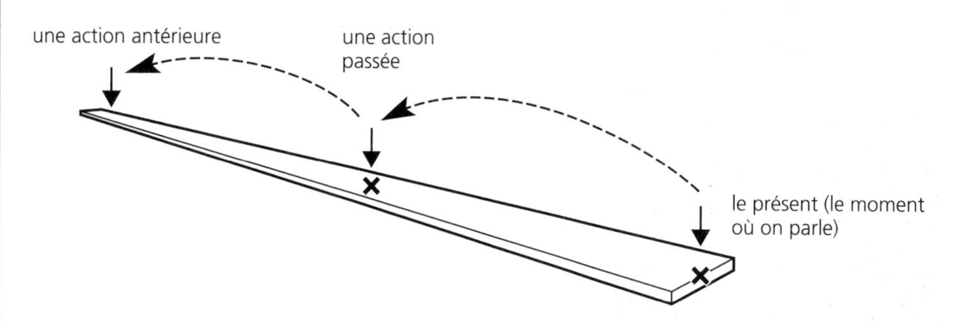

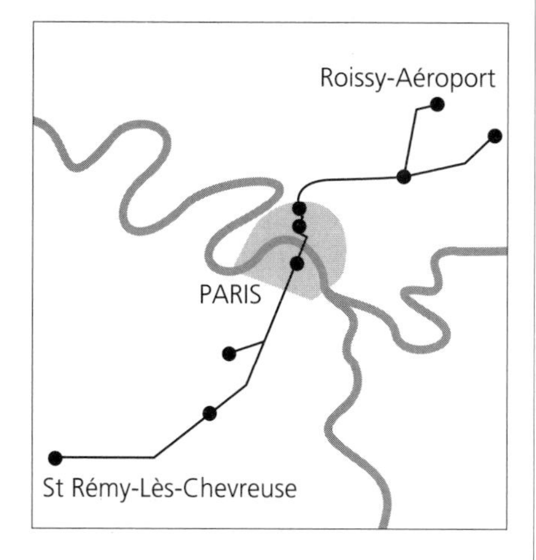

- Dans son livre *Les Passagers du Roissy-Express,* François Maspero décrit un voyage de découverte, non pas dans un pays exotique, mais à travers la banlieue parisienne par le RER. Avec son amie Anaïk Frantz, il prend le RER ligne B, et il descend à chacune des 38 stations entre l'aéroport de Roissy et Saint Rémy lès Chevreuse. Mais avant de prendre la décision de faire ce voyage, il est allé à Roissy passer quelque temps avec une amie qui devait changer d'avion à l'aéroport Charles de Gaulle.

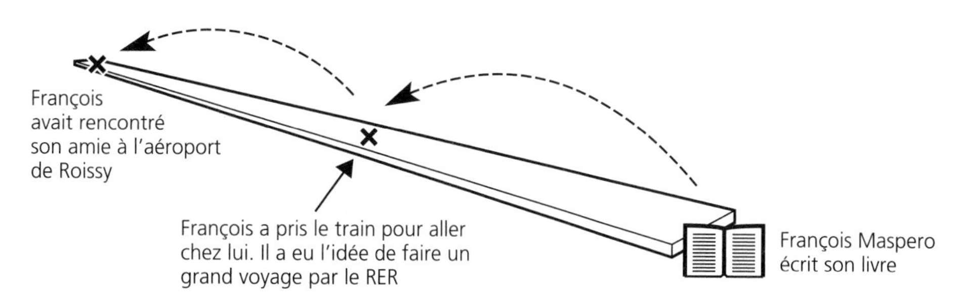

Le matin de ce jour-là, *il avait reçu* un appel de Roissy: une amie y était en transit entre deux avions. Elle venait d'un autre continent et repartait pour un autre continent. *Il était allé* la retrouver, pour un temps si bref, dans cet espace hors de tout temps et de tout espace réels. *Ils ne s'étaient pas vus* depuis si longtemps: comme toujours, ils avaient tant de choses à se dire qu'ils ne trouvaient rien à se dire. Et ils ne se reverraient plus avant si longtemps. Ou peut-être même ils ne se reverraient plus. Comme chaque fois qu'ils se retrouvaient, ils étaient là à se demander, sans le dire à l'autre, comment cela pouvait être ainsi, pourquoi, pourquoi. Autrefois *ils avaient rêvé* de vivre ensemble et de faire de grands voyages, ils étaient complémentaires, chacun savait voir le monde avec ses yeux et les yeux de l'autre, et parler, et entendre comme l'autre parlait et entendait. Et *ils avaient continué* à vivre et à voyager chacun de son côté, sachant bien que leur manqueraient toujours, partout, les yeux, la voix de l'autre, que leur manquerait toujours, partout, l'autre. Absurde déjeuner dans le restaurant de l'aéroport, luxe ridicule, émotion des mots pas prononcés, regards, peau à peine effleurée, douceur des lèvres et déjà l'adieu. *On avait annoncé* son avion, *il l'avait accompagnée* jusqu'au dernier contrôle et *il était parti* de son côté reprendre le train pour Paris.

tous les verbes en italiques sont au plus-que-parfait

RER (Réseau Express Régional) express underground/surburban train system of Paris
effleurée touched
le contrôle (passport/immigration) control
l'entr'acte (m) interval

plus-que-parfait 2

Auxiliaire (auxiliary) means *helping*. The auxiliary verb *helps* the main verb to form its compound tenses.

Pour former le plus-que-parfait

Le ***plus-que-parfait*** est un temps *composé* (formé de *deux* éléments, comme le *passé composé*, page 92).

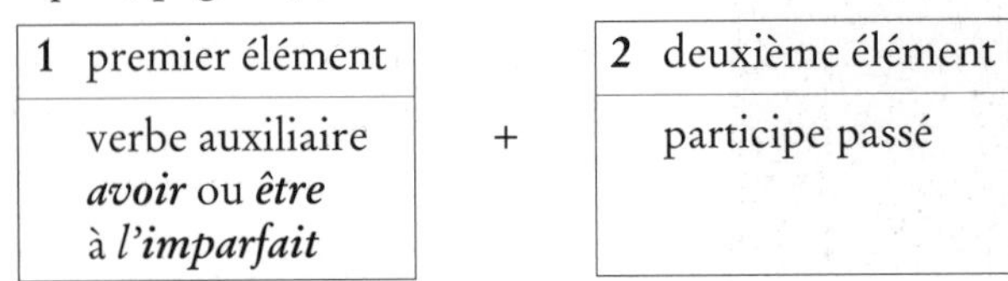

1 premier élément		2 deuxième élément
verbe auxiliaire ***avoir*** ou ***être*** à ***l'imparfait***	+	participe passé

Regardez les verbes en italiques dans le passage de François Maspero:

for the formation of the past participle see passé composé (page 93)

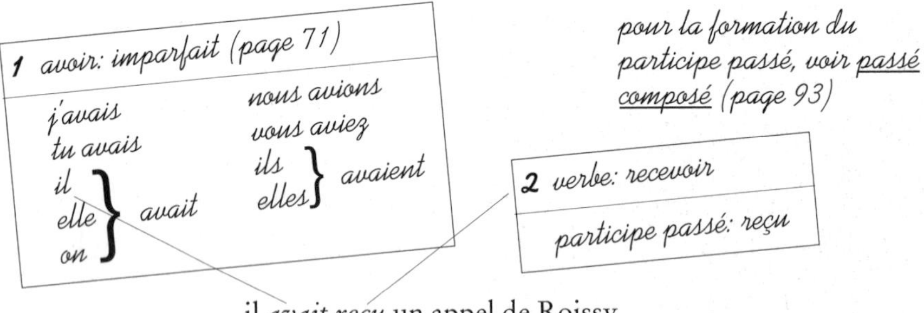

...il *avait reçu* un appel de Roissy...

which auxiliary? avoir or être? (see page 93)

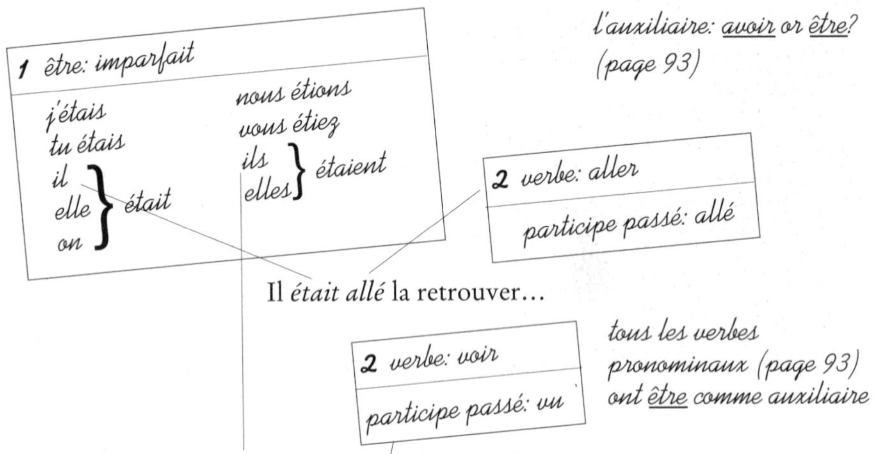

Il *était allé* la retrouver...

all reflexive verbs (page 93) take être as their auxiliary

Ils ne *s'étaient* pas *vus* depuis si longtemps...

Activité 1

Transformez ces monologues en discours rapporté indirect.
(Le plus-que-parfait sera nécessaire.)

Activité 2

Trouvez dans des textes, ou inventez, une série de phrases comme ceux ci-dessus.
Échangez-les avec un(e) partenaire pour en faire de pareils discours rapportés.

présent 1

The present tense

1 describes an action (or a state) happening *now*, at the moment of speaking or writing:
Sorry, I'm drinking your tea.
2 describes repeated regular or routine events which span past present and future:
I drink tea, mainly.
3 describes events or states without reference to time:
Bees make honey.
4 can describe past events to give them the impact of current events:
It is 1938. Dark clouds of war are gathering over Europe.

This use of the historic present (le présent de narration) is more widespread in French than in English, though English speakers use it, for example, in jokes:
So he goes up to the counter and says...

English has *two* present tenses to convey these uses: I *drink/I am drinking.* In French there is only *one* present tense formation to cover all the above uses.

Une action actuelle/un état actuel

Le temps présent de l'indicatif est le temps du verbe exprimant ***une action actuelle (ou un état actuel) qui se passe maintenant***, au moment où on parle.

- Lors d'un bulletin d'informations d'*Europe 1*, un journaliste de radio décrit un événement en direct du port italien de Bari.

Un cargo libanais, le *Vlora*, chargé de quelques milliers de passagers, *essaie* en ce moment de rentrer de force au port italien de Bari.

Malgré la présence de vedettes militaires, les passagers *se jettent* à l'eau.

De nombreuses embarcations de police et de carabiniers *se portent* à leur secours mais pour l'instant les autorités italiennes *refusent* de laisser débarquer les réfugiés. Elles *envoient* un médecin afin de soigner à bord les nombreux malades et blessés.

Les événements se passent au moment où parle le journaliste – donc, temps présent

Une action répétée

Le temps présent de l'indicatif exprime aussi l'idée d'une action répétée (qui s'accomplit souvent, ou de façon continue ou régulière).

- Anne-Marie C., agent de photographes à Paris, raconte une partie de sa routine journalière:

Je suis agent de photographes. Je *travaille* sur rendez-vous, surtout le matin. Je *prends* les transports en commun. Je *suis* dehors, ailleurs, à ce moment-là. Si je *suis* chez moi, je *prends* des rendez-vous par téléphone. Je *téléphone* aussi à une ou deux amies; le matin, je *suis* seule, je les *appelle*. Ça *dure* jusqu'à 11 heures et demie. Je *suis* dehors pour mon travail quand les enfants ne *rentrent* pas à midi. On *se donne* rendez-vous avec Pierre, dans Paris, pour déjeuner. J'aimerais pouvoir avoir du temps, bavarder, traîner. Avec les amies qui *travaillent* ou qui n'*habitent* pas près de chez moi, je ne le *fais* pas,

A 11 heures je *commence* à m'occuper du déjeuner, la semaine où on *déjeune* tous ici. Les enfants *viennent* toujours avec d'autres enfants, qui *mangent* aussi.

Les verbes en italiques sont tous au temps présent. Anne-Marie décrit des actions qu'elle répète souvent – des activités régulières

le cargo cargo ship
libanais Lebanese
la vedette militaire naval patrol boat
dehors out of the house
traîner laze around

présent 2

Des circonstances plus ou moins permanentes

Le temps présent peut aussi décrire des circonstances plus ou moins permanentes, ou, au moins durables, et où leur situation dans le temps est de moindre importance.

- Le passage qui suit fait partie de l'introduction du livre *La Physique-matière, énergie, mouvement* dans la série *Initiation à la science*.

> La physique *est* la science de la matière et de l'énergie. Elle *examine* comment la matière *se comporte* en diverses circonstances et *étudie* les interactions entre la matière et l'énergie. Tous les objets de l'Univers *sont* constitués de matière, et tout événement qui *s'y produit*, depuis l'explosion d'une étoile jusqu'au coup de pied dans un ballon de football, *requiert* de l'énergie. La physique *couvre* donc un sujet très large.
>
> Ce livre *examine* d'abord les forces et le mouvement, et *expose* les trois lois de base qui *régissent* les relations entre ces deux éléments. Une partie de ce chapitre, la statique, *explique* comment les leviers et poulies *peuvent* être utilisés pour augmenter la force appliquée à un objet.

Les temps présents représentent, pour la plupart, des phénomènes naturels qui sont durables.

Le présent de narration

Le temps présent peut aussi exprimer des actions du passé auxquelles on cherche à donner le poids et la force dramatiques du moment ***actuel***. C'est ***le présent de narration***.

- Dans son livre *Un sac de billes*, Joseph Joffo raconte son propre histoire d'enfant juif pendant la deuxième guerre mondiale. Avec son frère, il a dû parcourir la zone de la France qui était occupée par les Allemands, traverser clandestinement la ligne de démarcation avec la France «libre» pour rejoindre sa famille. Afin que le lecteur puisse vivre avec lui les moments dramatiques de cette histoire, Joffo choisit le temps présent pour raconter ce récit de son propre passé. Les deux frères sont cachés dans une maison de ferme près de la ligne de démarcation...

> Je *traverse* sur mes chaussettes qui ne *font* aucun bruit sur le sol de terre battue que *recouvre* une poussière de paille sèche. Mes doigts *reconnaissent* le bois de la porte, le lourd loquet que je *soulève* avec précaution. Je *regarde* par l'interstice et *bondis* en arrière: les chuchotements *viennent* sur moi, leurs formes agglutinées *avancent* vers moi.
>
> Les respirations *montent*, ils *ont* tous l'air de tirer sur d'invisibles cigarettes. Je *reconnais* un des hommes qui se trouvaient au restaurant près de nous à midi.

Joseph était dans une situation dangereuse. L'emploi du temps présent rend ce danger vif et actuel pour le lecteur.

un levier lever
une poulie pulley
juif Jewish
clandestinement secretly
le sol de terre (f) battue beaten earth floor
la poussière dust
la paille sèche dried hay
le loquet latch
l'interstice (m) crack, gap
le chuchotement whispering
agglutiné(es) grouped together
croiser meet, 'bump into'

Une action future plus ou moins proche

Le temps présent peut aussi marquer une action future plus ou moins proche; surtout un événement qui est tout prêt à se réaliser.

- «Pour l'instant je n'ai pas de nouvelles de Léna mais si elle est toujours ici je vais peut-être la croiser, car je passe toute la semaine prochaine à Paris.»

La personne parle d'une intention future qui est fixe.

présent 3

La forme du présent

Le temps présent est un temps simple (formé d'un seul mot) composé d'un

La formation du *radical* et les *terminaisons* diffère pour chaque groupe de verbes (infinitif en *-er*, *-ir*, *–re*).

Le temps présent des verbes à l'infinitif en -er

Radical = infinitif moins ***-er*** donn~~er~~ = ***donn***

Terminaisons

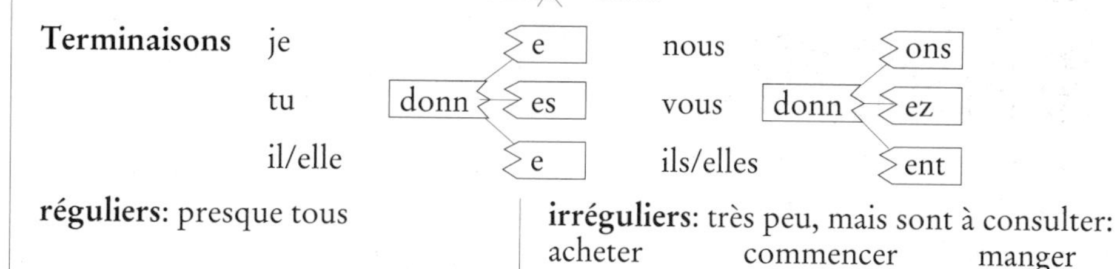

réguliers: presque tous

irréguliers: très peu, mais sont à consulter:

acheter	commencer	manger
appeler	ennuyer	posséder
bouger	lever	succéder

Le temps présent des verbes à l'infinitif en -ir

Radical = infinitif moins ***-ir*** fin~~ir~~ = ***fin***

Terminaisons

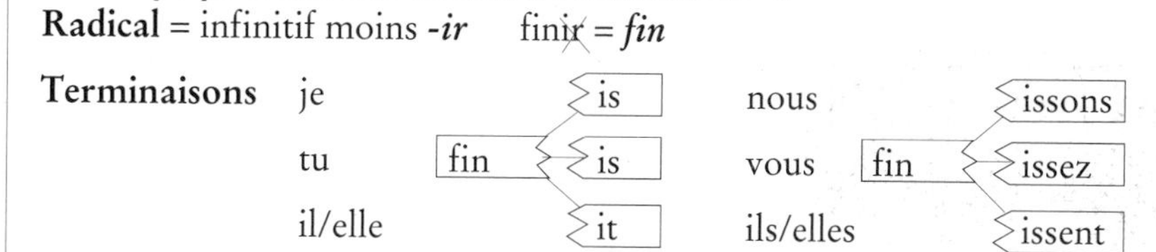

réguliers:

accomplir	guérir	régir
agir	maigrir	réunir
avertir	munir	réussir
bondir	nourrir	rôtir
choisir	obéir	rougir
établir	punir	saisir
fournir	rafraîchir	salir
grandir	ralentir	subir
grossir	réfléchir	trahir

(et autres)

irréguliers: beaucoup. Surtout à noter sont:

courir	offrir	servir
dormir	ouvrir	sortir
fuir	partir	tenir
mentir	sentir	venir
mourir		

Le temps présent des verbes à l'infinitif en -re

Radical = infinitif moins ***-re*** vend~~re~~ = ***vend***

Terminaisons

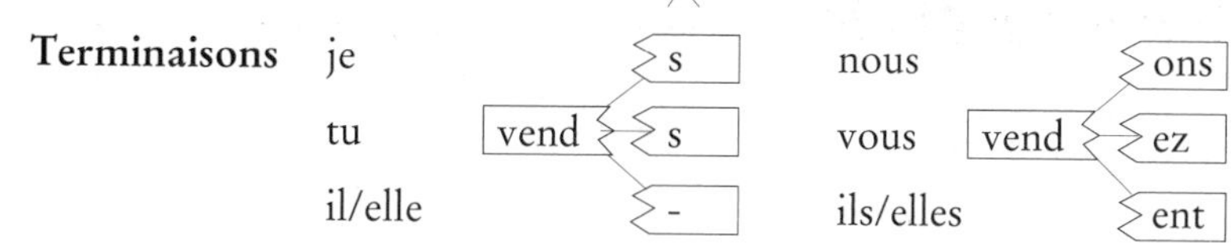

réguliers:

attendre (ainsi que tous les verbes en ***-endre***)
mordre (ainsi que tous les verbes en ***-ordre***)
perdre (ainsi que tous les verbes en ***-erdre***)
répondre (ainsi que tous les verbes en ***-ondre***)

irréguliers: beaucoup. Surtout à noter sont:

boire	faire
conduire	lire
connaître	mettre
craindre	plaire
croire	(com)prendre
dire	rire
écrire	suivre
éteindre	vivre

et, bien sûr, être

Vocabulaire pour les extraits à la page 110

débraillé casual, slovenly
le pourpoint doublet
le rabat flap
la dentelle lace
le justaucorps jerkin
le gilet waistcoat
la culotte breeches
la perruque wig
décolleté cut low at the neck
damassé damasked (with a woven pattern)
broché d'or with gold brocade

l'ébénisterie cabinet-making
le cuivre brass
l'étain pewter
l'écaille tortoiseshell
rehaussé(e) de garnitures de bronze ciselé et doré embellished with sculpted and gilded bronze

remuer move them around

le noyau core, centre
les échappements (m) exhaust pipes

la tribu tribe
la fouille excavation
le gisement site
défriché(s) cleared (for cultivation)
l'outil (m) **en fer** (m) iron tool

l'advection (f) the sideways movement of an air mass
le rayonnement radiance

à volonté at will

A noter

Sont aussi à étudier, les verbes en **-oir**: s'asseoir, avoir, devoir, falloir, pleuvoir, pouvoir, prévoir, recevoir, savoir, voir, vouloir

présent 4

1

LES HOMMES ET LEUR CADRE: LE STYLE LOUIS XIV

Au Grand Siècle, le costume combine le débraillé, l'élégance et la richesse. Au pourpoint orné de rabats et de dentelles succèdent bientôt le justaucorps, le gilet et la culotte. Les hommes de qualité portent perruque, signe de majesté. Le vêtement féminin, très décolleté, est damassé et broché d'or et comprend une large jupe à traîne.

La manufacture royale de meubles des Gobelins fixe le ton du mobilier: ici aussi majesté et somptuosité. Le meuble trouve avec la marqueterie de Boulle un style original: ébénisterie de cuivre, d'étain et d'écaille rehaussée de garnitures de bronze ciselé et doré.

Activité 1

Attribuez chacun des extraits **1–5** à une des catégories du temps présent qui se trouvent aux pages 107–8.*

Activité 2

Pour les extraits **1** et **2**, identifiez tous les verbes au présent.
Faites une liste de ces verbes ***à l'infinitif*** et indiquez s'il s'agit d'un temps présent ***régulier*** ou ***irrégulier***.

2

Mes possessions sont dans un coin, pêle-mêle. Avec mon long bâton je peux les remuer, les amener jusqu'à moi, les renvoyer à leur place. Mon lit est près de la fenêtre. Je reste tourné vers elle la plupart du temps. Je vois des toits et du ciel, un bout de rue aussi si je fais un grand effort. Je ne vois ni champs ni montagnes. Ils sont proches cependant. Après tout qu'est-ce que j'en sais? Je ne vois pas la mer non plus, mais je l'entends quand elle est grosse. Je peux voir dans une chambre de la maison d'en face. Il s'y passe quelquefois des choses bizarres.

Activité 3

Dans les extraits **3–5**, il manque les verbes au présent. A vous de remplir les formes correctes à partir de l'infinitif indiqué.

3

MASQUE ANTIPOLLUTION

Les zones urbaines ____[1] particulièrement sujettes aux brouillards épais. Près de la mer, leur air ____[2] des noyaux de condensation qui en ____[3] la formation (pp. 22-23). Les particules polluantes – autres noyaux de condensation – produites par les échappements de voitures, les cheminées d'immeubles et d'usines ____[4] parfois les cyclistes à porter des masques.

1 être
2 contenir
3 favoriser
4 obliger

4

CHRONOLOGIE DE L'ÎLE-DE-FRANCE

– *50000* env. av. J.-C. Une tribu d'hommes de Néandertal ____[1] sur la rive droite de la Seine, à l'emplacement de l'actuelle place du Châtelet (une fouille de hasard consécutive à l'installation du gaz de ville a mis ce gisement en évidence).
– *3500* L'Ile-de-France ____[2] l'influence des Danubiens venus de l'est. Introduction des techniques néolithiques.
– *2000* Les plateaux autour de la Seine ____[3] défrichés par des agriculteurs de la civilisation Seine-Oise-Marne.
– *750 à – 450* Des tribus celtes ____[4] le long des vallées de la région parisienne et y ____[5] l'usage des outils en fer (époque de la

1 bivouaquer
2 subir
3 être
4 se grouper
5 généraliser

5

BROUILLARD CALIFORNIEN

A San Francisco, les tours du Golden Gate ____[1] souvent au-dessus d'une épaisse brume qui ____[2] du Pacifique. Ce brouillard d'advection ____[3] lorsque l'air chaud et humide du sud ____[4] sur les courants froids venant de l'Arctique. En arrivant près des côtes, il ____[5] rapidement au-dessus des terres chaudes et ____[6] lorsqu'il ____[7] la région de San Francisco. Sur la côte, les brouillards d'advection, contrairement aux brouillards de rayonnement, ____[8] plus longtemps à se dissiper: ils ne pourront disparaître que lorsque les conditions climatiques qui les ont amenés auront changé.

1 émerger
2 provenir
3 se former
4 passer
5 s'évaporer
6 se dissiper
7 atteindre
8 mettre

*Vous en trouverez le vocabulaire à la page 109.

pronoms personnels 1

In spoken English, the personal pronouns can be given force by stressing them: *You* wash, *I'll* dry. In French, stress is given by use of another set of pronouns, *disjunctive* or *emphatic* pronouns.

Moi, je pense que cette équipe va gagner.

These pronouns have other uses too:

– in a sentence with no verb: «*Qui a perdu?*» «***Eux***»
– after a preposition: *J'étais assis devant **elles**.*
– for comparison: ***Moi**, j'aime le foot, **toi** le tennis.*
– in affirmative commands of reflexive verbs: *Levez-**vous**, assieds-**toi**.*
– they replace ***me*** and ***te*** in affirmative commands of non-reflexive verbs: *Regardez-**moi**.*

Forme forte: moi, toi...

Voici des pronoms personnels, forme forte, qu'on appelle aussi pronoms d'insistance:

	singulier	pluriel
1re personne	moi	nous
2e personne	toi	vous
3e personne	lui	eux
	elle	elles

Lors d'un entretien pour le journal *France-Football*, l'entraîneur de Barcelone, Johan Cruyff, contraste ses méthodes avec celles de l'entraîneur de Marseille, Ivic.

— Vous ne pratiquez pas le même sport qu' Ivic?
— Tout à fait. *Moi,* je suis un aventurier. J'ai le ballon, et je ne peux pas prévoir ce qui va arriver. Je vais juste essayer de créer. *Lui,* sa première préoccupation, c'est: «J'ai perdu le ballon, voilà ce que je fais.» *Moi,* je pense d'abord: «J'ai le ballon, qu'est-ce que je vais en faire?»

la forme forte:
pour renforcer le je
pour contraster je et il
pour souligner le je

la forme forte
– met du poids sur un pronom sujet: ***Moi**, j'ai le ballon. Oui, **c'est moi**.*
– indique la personne dans une phrase sans verbe: *Alors, qui a gagné le match finalement? **Eux**!*
– remplace le pronom «normal» après une préposition: *Papin est impressionant. **Avec lui** on a la chance de gagner.*
– remplace le pronom «normal» dans une comparaison: ***Moi je** pense d'abord, **lui**...*
– remplace les pronoms de complément direct, ***me*** et ***te***:
  a suivant un verbe à l'impératif, affirmatif: (Un entraîneur encourage son équipe.) *Alors, les gars, **donnez-moi** de l'imagination.*
  b suivant un verbe pronominal à l'impératif affirmatif: ***Réveille-toi! Lève-toi! Continue!***
– suivant certains verbes + préposition: *Je pense aux spectateurs. Toi, tu penses à eux?* *(voir page 29)*

préposition + forme forte
moi remplace me
toi remplace te

l'entraîneur (m) trainer
les gars (m) lads
le gueux beggar

● Lisez les paroles de cette chanson de Jacques Brel et réfléchissez à son emploi de toi.

Toi, toi si tu étais l'Bon Dieu
Tu allumerais des bals
Pour les gueux.

Toi,
Toi, si tu étais l'Bon Dieu
Tu ne serais pas économe
De ciel bleu.

Mais tu n'es pas le Bon Dieu
Toi tu es beaucoup mieux
Tu es un homme.

Tu es un homme
Tu es un homme.

Activité 1

Exprimez les instructions suivantes à l'impératif.

Exemples: Demandez à l'équipe de vous écouter: «Ecoutez-moi!»
Demandez-leur de ne pas vous écouter: «Ne m'écoutez pas!»

1 Demandez-leur de vous suivre.
2 Demandez-leur de ne pas vous suivre.
3 Demandez-leur de vous regarder.
4 Demandez-leur de ne pas vous regarder.
5 Demandez-leur de se lever tôt.
6 Demandez-leur de ne pas se coucher tard.

Activité 2

Remplacez les mots en italiques par des pronoms.

Exemples: Sans *l'entraîneur* ils perdraient le match. Sans lui...

1 Avec *mes copains*, je suis allé voir le match.
2 Qui a gagné le match? *Les Espagnols.*
3 Qui a perdu le match? *Ce joueur-là!*
4 Qui a gagné? *Tu as gagné.*
5 Devant *ma soeur* je ne joue jamais très bien.

pronoms personnels 2

The personal pronouns

je	tu	il	elle	on
nous	vous	ils	elles	

are usually placed before the verb:
Il est professeur.

They come after the verb in the question form:
*Est-**il** professeur?*

les palmes académiques decoration for services to education in France
avoir honte to be ashamed
confus embarrassed
décerner to award

The direct and indirect object pronouns are also placed before the verb except in positive commands:
*Elle travaille, aide-**la**.*

Direct object pronouns

me	te	le	la
nous	vous	les	

Indirect object pronouns

me	te	lui
nous	vous	leur

Place des pronoms personnels

Le pronom personnel sujet est placé avant le verbe.
Le pronom personnel complément est placé avant le verbe mais à l'impératif affirmatif il le suit.

Dans cet extrait de *Topaze* de Marcel Pagnol, Muche, le directeur de l'école, explique à Topaze que M. l'Inspecteur d'Académie ne peut pas lui donner les palmes académiques.

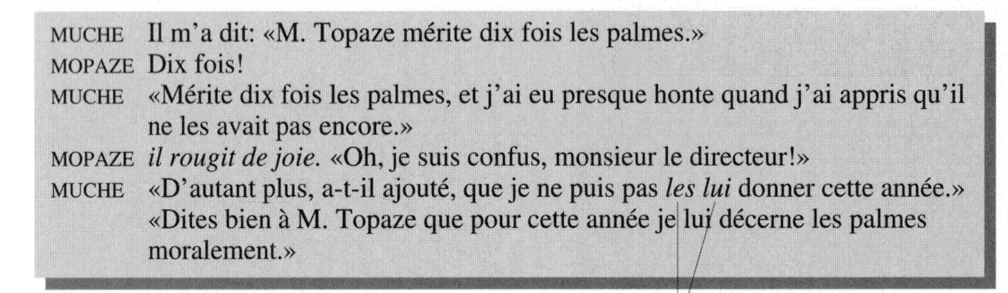
MUCHE Il m'a dit: «M. Topaze mérite dix fois les palmes.»
MOPAZE Dix fois!
MUCHE «Mérite dix fois les palmes, et j'ai eu presque honte quand j'ai appris qu'il ne les avait pas encore.»
MOPAZE *il rougit de joie.* «Oh, je suis confus, monsieur le directeur!»
MUCHE «D'autant plus, a-t-il ajouté, que je ne puis pas *les lui* donner cette année.» «Dites bien à M. Topaze que pour cette année je lui décerne les palmes moralement.»

A noter

- Un pronom sujet se place avant le verbe: ***Je** suis confus.*
- Un pronom de complément objet se place avant le verbe:
  *Il ne **les** avait pas...*
  *Je **lui** décerne les palmes.*
- Aux temps composés ce pronom se place avant le verbe auxiliaire:
  *Il ne **les** a pas reçues.*
  *Ne **les** a-t-il pas reçues?*
- S'il y a un verbe suivi de l'infinitif, le pronom de complément objet précède l'infinitif: *Je ne peux pas **les lui** donner cette année.*
- S'il s'agit d'un impératif affirmatif, le pronom complément est placé après le verbe: *Dites-**lui** qu'il les a méritées.*

Activité 3

Un collègue de Topaze, Tamise, lui pose des questions. Répondez pour Topaze en employant des pronoms plutôt que des noms.

Exemple: *Tu as les palmes? Non, je ne **les** ai pas.*

1 Tu les mérites?
2 Veux-tu les recevoir?
3 Tu l'as vu, Muche?
4 Tu as vu l'inspecteur?

Activité 4

Inventez les questions de Tamise pour les réponses suivantes:

1 Je ne le comprends pas.
2 Oui, je les ai méritées l'année dernière.
3 Non, Muche ne les a pas.
4 Oui, je veux aller le voir.

Activité 5

Transformez les phrases suivantes en remplaçant les mots en italiques par des pronoms:

Ex: *Il me décernait **les palmes**. Il me **les** décernait.*

1 *M. Topaze* mérite dix fois *les palmes* mais il n'aura pas *les palmes* cette année.
2 J'ai *les palmes* moralement.
3 *Topaze* aimerait voir *l'inspecteur*.
4 *Topaze* ne voudrait pas désobéir *à Muche*.
5 Il a demandé *à Muche* pourquoi il n'avait pas *les palmes*.
6 Topaze aime *Ernestine* et il veut épouser *la jeune fille*.
7 *Ernestine* n'aime pas *Topaze* et elle ne veut pas épouser *son collègue*.

pronoms – position

When more than one object pronoun appear together, the 'order of play' is: *forwards* first, then the *half-backs*, then the *full-backs*, then the *keeper*, then the *reserve*.

(There won't always be one of each, but whichever occur, they 'play' in this order.)

S'il y a *plus d'un seul pronom* (de complément ou pronominal) dans la proposition, dans quel ordre faut-il les *combiner?*

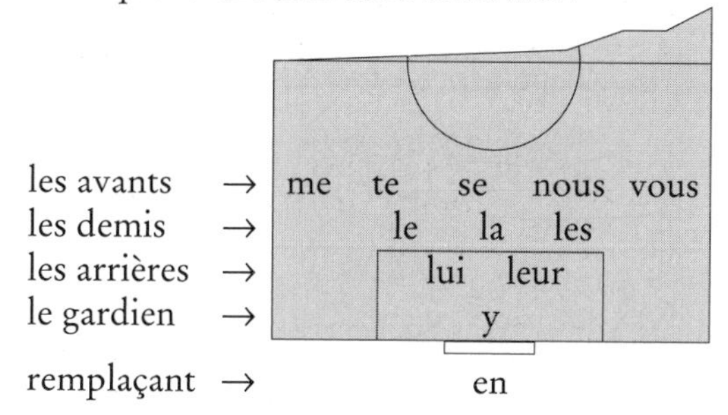

Imaginez que ces pronoms représentent les joueurs d'une équipe de hockey. Ils sont groupés par rangs: *les avants* en tête, suivi des *demis*, ensuite les *arrières*, et puis le *gardien de but*. Derrière ce dernier, le/la *remplaçant(e)*. C'est dans ce même ordre que «jouent» les pronoms dans la proposition.

- Pour écrire son livre *Mademoiselle Désire*? Claude Sarraute a travaillé pendant trois mois comme vendeuse dans un grand magasin. Elle a eu de temps en temps des client(e)s difficiles…

> – C'est combien ce sac-là? Non, pas là… Là! 495 F? Mais on a vu le même au rayon à côté pour moins de 300 F, hein Jeanine?
> – C'était le même sauf que c'était pas le même, madame… C'était du plastique, tandis que là, c'est du cuir.
> – Du cuir! Alors ça, ça m'étonnerait!
> – Mais, madame, puisque je *vous le* dis! C'est marqué dans toutes les langues sur l'étiquette, tenez, regardez: *leather, cuoio, leder, pelle,* cuir véritable.

deux pronoms ensemble:
vous: complément indirect
le: complément direct
= un avant + un demi

le cuir leather

- Deux clientes veulent acheter la même paire de chaussures. Elles ont chacune un pied…

> Allez, mesdames, soyez raisonnables, tôt ou tard, faudra bien que l'une de vous accepte de céder sa chaussure à l'autre. Vous n'allez quand même pas acheter un seul pied?
> – Ah! vous croyez ça? Eh bien, vous allez voir, je le prends, moi, ce bottillon. Pas question que je *le lui* donne, non, mais qu'est-ce qu'elle croit? Au prix de la paire? Oui, d'accord! Ça lui apprendra!

deux pronoms:
le: complément direct
lui: complément indirect
= un demi + un arrière

l'étiquette(f) label
le bottillon ankle boot

- Un couple hésite avant de faire un achat:

> *Cette table. Si on* ***se l'****offrait?*

deux pronoms
se: pronominal
l'(la): complément
un avant + un demi

Activité 1

Dans les phrases suivantes, remplacez les mots en italiques par des pronoms:

Ex: *Tu me laisses* ***ta cliente****? Tu me la laisses?*

1 Il lui manque *le bottillon.*
2 Je vous rends *le bottillon.*
3 J'ai donné *ces jouets à ma fille.*
4 Elle a donné *ces jouets à ses fils.*
5 Elle a acheté *ce train pour sa fille.*
6 Elle n'a pas acheté *les trains pour son fils.*
7 Elle n'a pas donné *de bonbons à ses enfants.*
8 Pas question que je vous donne *cette chaussure.*
9 Pas question qu'elle me donne *cette chaussure.*
10 Pas question qu'elle les donne *à ses enfants.*
11 Pas question qu'il mange *les bonbons dans la rue.*
12 Si on s'offrait *cette lampe*?
13 Si on offrait *cette lampe à Papa*?
14 Si on offrait *ces livres à Nathalie et à Claude*?
15 Si je vous offrais *cette cravate*?

pronoms possessifs

The possessive pronoun stands instead of the noun and indicates possession:
*La France est ton pays, pas **le mien**.*

The definite article forms part of the construction and agrees with the thing possessed:
*Ces idées sont **les vôtres**, pas **les miennes**.*

Note also the forms:
au mien, du mien etc:
*Je parle de ton pays, pas **du mien**.*

Ils représentent: ***adjectif possessif + nom > pronom possessif***

mes chocolats = ***les miens***

Il y en a une seule forme, qui est composée de deux éléments:

1 l'article défini *le, la, les* — **2** un élément qui indique le possesseur, mais qui s'accorde avec le genre et le nombre de la (des) chose(s) possédée(s).

		un seul possesseur		**deux (ou plus) possesseurs**	
		un seul objet	un (ou plus) objet(s)	un seul objet	un (ou plus) objet(s)
1re personne	(m)	le mien	les miens	le nôtre	les nôtres
	(f)	la mienne	les miennes	la nôtre	
2e personne	(m)	le tien	les tiens	le vôtre	les vôtres
	(f)	la tienne	les tiennes	la vôtre	
3e personne	(m)	le sien	les siens	le leur	les leurs
	(f)	la sienne	les siennes	la leur	

- Cette citation se trouve sur le dos du livre de poche, *Jacques Brel, une vie* d'Olivier Todd:

le metteur en scène producer

> Jacques Brel. L'homme, le poète, le chanteur, le comédien, le metteur en scène, le pilote, le navigateur. Avec *les siens*, sans *les siens*, avec ses fidelités et ses infidelités…

pronom possessif
les siens = his own people/his loved ones

- Regardez aussi, les paroles d'une des chansons de Brel où il parle de son pays, la Belgique.

le terrain vague waste ground
la vague wave
à marée basse at low tide
la brume mist
le blé wheat

Avec la mer du Nord pour dernier terrain vague
Et des vagues de dunes pour arrêter les vagues
Et de vagues rochers que les marées dépassent
Et qui ont à jamais le coeur à marée basse
Avec infiniment de brumes à venir
Avec le vent de l'Est écoutez-le tenir
Le plat pays qui est *le mien*
....
Quand le vent est au rire, quand le vent est au blé
Quand le vent est au Sud, écoutez-le chanter
Le plat pays qui est *le mien*

Activité 1

Transformez les phrases suivantes en remplaçant les mots en italiques par un pronom possessif;

Exemple: *Brel ne parle pas de mon pays, il parle de* ***son pays****. Il parle* ***du sien****.*

1 A qui est ce livre de poche sur Brel? C'est *ton livre*.
2 Ce sont tes frères ou le frère de Marc qui habitent en Suisse? Ce sont *mes frères*.
3 C'est ta mère ou la mère de Germaine qui est belge? C'est *ma mère*.
4 Je préfère mon pays à *votre pays*.
5 Tout en aimant la France les francophiles aiment mieux *leur propre pays*.
6 Olivier Todd ne parle pas de ma famille, il parle de *sa famille*.

quantité 1

Quantity

une baleine
une dizaine de phoques

tout (every/all): tous sont volontaires, tout homme, toute femme est volontaire (every); tous les bateaux; toutes sortes de poissons (all); tout le monde [singulier] (everyone); toute la bande (the whole...)

plusieurs (several)

quelques (some, a few)**:** quelques-uns/-unes: Quelques-unes des baleines sont tuées; quelques espèces sont menacées

certain (some people, things unknown): certaines îles; certains (hommes et femmes) ne sont pas là

aucun...ne (not one, none)**:** aucune baleine ne survit; je n'ai vu aucun poisson

bien des (many): bien des poissons sont en danger

beaucoup de (a lot)

assez de (enough)**:** On ne dépense pas assez d'argent pour sauver notre monde.
trop de (too much, too many)
peu de (few)

un peu de (a little)

la plupart des (pl. most)**:** la plupart des baleines sont tuées

une grande partie de... (a great deal of)

le maximum de...
tel, telle, tels, telles (such): un tel désastre (such a disaster); de telles quantités (such quantities)

La quantité s'exprime de façon précise ou imprécise.

- Dans ces extraits de l'article, *Sauver le monde pour nos enfants* tiré du magazine *Marie France*, nous en voyons plusieurs exemples.

  Après une mission fatigante sur le *Sirius* pour constater les ravages que peuvent provoquer les pêcheurs de thon parmi la faune marine, Annie Amirda rentre à Paris:

Elle y passe *la majeure partie de* l'année avec *les trois autres femmes* de l'état-major. «Le travail de bureau occupe *80%* de notre activité» explique Annie Amirda. Il faut répondre au téléphone et au courrier des *quinze mille* adhérents français. Faire *de la* promotion et *du* recrutement. Assurer enfin *le maximum de* publicité aux actions du mouvement.

Sur le *Sirius* parmi les *vingt-six* hommes et les *six* femmes de *huit* nationalités différentes, *certains* n'ont *aucune* expérience de la mer, mais *tous* se sont portés volontaires, affrontant le mal de mer, les corvées, l'inconfort et la promiscuité d'un bateau exigu.

Le littoral de *certaines îles* est transformé en décharge publique par les touristes qui y jettent leurs ordures.

Toutes sortes de poissons se font capturer par les filets des chalutiers.

La baleine est protégée et sa pêche est strictement réglementée. Mais ces mesures sont venues bien tard pour *certaines espèces*: il ne reste plus que *quelques centaines de* baleines des Basques et que *quelques dizaines de* baleines du Groenland.

Phoques, dauphins, baleines sont menacés d'extinction à *plus ou moins* long terme. C'est pour cette raison que les femmes sont *de plus en plus* nombreuses à militer, comme Annie Amirda, pour la Paix Verte... Elles n'ont qu'un seul but: créer une pression suffisante pour que *de tels* désastres ne se renouvellent plus.

Précis: trois
80%
(80 pour cent)
15,000

Imprécis: les îles ne sont pas nommées, les personnes ne sont pas nommées.

l'état-major headquarters, management
la corvée chore
exigu tiny
le littoral coast line
le filet net
le chalutier trawler
le thon tuna
la baleine whale
le phoque seal
le dauphin dolphin
La Paix Verte Greenpeace
le but aim

quantité 2

l'équipage (m) crew
les pouvoirs publics the authorities

The partitive article: ***du, de la, de l', des*** changes to ***de*** after a negative and before an adjective: *Je n'ai pas vu* ***de*** *baleines; toi, tu as vu* ***de*** *grandes baleines.*

Activité 1

Changez les phrases suivantes en y ajoutant les expressions de quantité. Vous essaierez ensuite de changer chaque phrase d'une autre façon mais sans employer ***beaucoup de*** car il y a bien d'autres expressions.

Exemple: *[de plus en plus] Des Françaises partent pour monter à bord du* Beluga, *du* Sirius *ou du nouveau* Rainbow Warrior.
De plus en plus de *Françaises partent…*

Et une autre phrase, cette fois employant ***la plupart:***

La plupart des *Françaises qui partent pour monter à bord du Beluga n'ont aucune expérience de la mer.*

1 Des Français font [tel…] des sacrifices parce qu'ils croient à La Paix Verte.
2 En 1985 [tout…] l'équipage du Rainbow Warrior était étranger, ce qui avait été mal perçu par l'opinion publique française.
3 Elizabeth Tissot analyse la composition de l'eau [certain…] des rivières.
4 Les pouvoirs publics se contentent d'analyser la pollution globale [bien des …] des rivières.
5 Elle a pris [trois ou quatre] des pilules anti-nausée.
6 A bord du Sirius elle était [trop…pour] occupée…
7 [quelques-uns] Des dauphins sont massacrés.
8 [50%] Des arbres sont rongés par la pollution.
9 Ils passent [la majeure partie] leur temps à faire du recrutement.
10 [aucun] Les arbres ne sont pas épargnés par la pollution industrielle.
11 [tout le monde] Nous devrions aider les espèces à survivre.

L'article partitif

	masculin	**féminin**	**m. et f. suivant négatif**	**m. et f. avant adjectif**
singulier	du, de l'	de la, de l'	de	de
pluriel	des	des	de	de

Exemples: *Les femmes font* ***du*** *recrutement et* ***de la*** *promotion.*
Elles boivent ***de l'****eau et mangent* ***des*** *conserves.*

L'article partitif s'emploie devant un nom non comptable et signifie une partie de ce nom.

Suivant le négatif: ***de*** s'emploie au lieu de ***du, de la, des, de l'.***

Exemples: *Il y a des baleines? Non, il n'y a pas* ***de*** *baleines.*
Elles font du recrutement? Non, elles ne font pas ***de*** *recrutement.*

Mais, *du, de la, des* s'emploient après *ce n'est pas…*

Avant un adjectif: ***des*** + adjectif + nom, ***des*** devient ***de***

Exemple: ***des*** *baleines,* ***de*** *belles baleines*

Activité 2

Mettez les phrases suivantes au négatif:

1 Elles ont sauvé des baleines.
2 Il y a des mers polluées.
3 Elles font du recrutement.
4 C'est du vin.

questions 1???????????????????

Spoken French

In spoken French we can ask a question in three ways:

1 by intonation: ***Tu es français?***;
2 by preceding a statement with *Est-ce que*, e.g. ***Est-ce que** tu es français?*;
3 by inverting the verb and subject: ***Es-tu** français?*.

Of these three options the first is the easiest and most widely used and the third is used the least.

Written French

In written French it is better to use inversion of verb and subject or a question using *Est-ce que*.

En français parlé, en style familier, on peut poser une question sans changer l'ordre normal des mots: ***Tu es français?***

On emploie aussi la formule ***Est-ce que: Est-ce que** tu es français?*

A l'ecrit, et quelquefois en parlant (*Quelle heure **est-il?***) on pose une question en inversant le verbe et le sujet: ***Es-tu** français? Simenon **est-il** français?*

- Dans le livre, *L'Année de la B.D. 85–86* il y a un extrait du livre de Boudjella, *Le Gourbi.* Le jeune homme est interrogé par le père de la jeune fille.

retourner au bled to go home
le bled countryside (in N. Africa)

Son père pourrait poser les questions ainsi:

Est-ce que tu as de la famille?
Est-ce que tu as le travail?

Activité 1

Inventez d'autres questions pour ce jeune homme.
Ecrivez-les pour cette B.D.

Exemple: *Tu as quel âge?*

questions 2???????????????????

By inverting the subject and the verb we can form a question: *Est-il français?*

If the verb ends in a vowel, ***-t-*** is added before ***il*** and ***elle***: *Parle-t-il français?*

Only a few examples of inversion with ***je*** are in use; these are usually short: ***ai-je, suis-je***

If the subject of the verb is a noun, we state the subject and then invert the appropriate pronoun and verb: *Les Canadiens, sont-ils francophones?*

manifester to demonstrate
se plaindre to complain
le délabrement state of desrepair
la revendication claim

l'inversion du sujet et du verbe

En automne 1990, les lycéens français ont manifesté. Ils se plaignaient d'être trop nombreux en classe, du délabrement des bâtiments, du manque de sécurité et de l'inadaption du système scolaire. Dans les journaux, bien des questions se sont posées sur cette révolte. En voici deux, tirées du *Monde* et du *Nouvel Observateur* à l'époque.

Dans un entretien avec M. Edgar Morin, le journaliste lui a demandé:

«*S'agit-il* d'une protestation d'ordre scolaire?»

① verbe ② sujet

«*Ne sont-elles* (les revendications des lycéens) *que* des prétextes?»

Activité 2

Suivant ces deux exemples, changez l'ordre des mots, en inversant le verbe et le sujet, pour poser des questions.

1 *Vous percevez* un malaise du monde enseignant.
2 *Vous ne voyez pas* un lien entre les conditions d'étude et les manifestations.
3 *Ils se plaignent* des cours ennuyeux.

Pour séparer la voyelle à la fin du verbe, des pronoms *il* et *elle*, il faut ajouter **-t-**.

Exemple: ***Y a-t-il*** *trop de problèmes dans le monde enseignant?*

Activité 3

Inversez le sujet et le verbe pour former des questions.

Exemple: *Il les écoute.*
Les ***écoute-t-il?***

1 *Il espère* voir le ministre.
2 *Il y a* de très mauvaises conditions dans les lycées.
3 *Elle participe* à une manifestation.

Dans les exemples ci-dessus le sujet du verbe est un pronom: *il, elle*, vous etc. On ne peut pas faire cette inversion du sujet et du verbe si le sujet est un nom. Il faut faire suivre le nom par l'inversion du verbe et du pronom.

Exemples: *Le système scolaire* ***est-il*** *mauvais?*
Les lycéens ***ne sont-ils pas*** *satisfaits?*

Activité 4

Suivant l'exemple ci-dessous, formez des questions:

Le ministre veut voir les lycéens.
Le ministre ***veut-il*** voir les lycéens?

1 *Ce ministre ne méprise pas* la jeunesse.
2 *Les conditions* d'études *ne sont pas* décentes.
3 *Le gouvernement devrait entamer* un véritable dialogue.

L'inversion simple (***Voyez-vous?***), et la reprise du nom par un pronom, (*Le ministre* ***veut-il*** *voir...?*) s'emploient également avec le pronom interrogatif, ***Qui?***, et les mots interrogatifs, ***Comment?***, ***Où?***, et ***Quand?***

Exemple: ***Qui percevez-vous?***; ***Qui***, *le ministre* ***espère-t-il*** *voir?*; ***Comment manifestez-vous?***; *Cette colère,* ***d'où vient-elle?***

Seule l'inversion simple s'emploie avec ***Que?***: ***Que veulent*** *les lycéens?*

ÇA SUFFIT!

questions 3???????????????????

Questions can be introduced by the pronouns: ***qui, que, quoi, lequel;*** the adjective ***quel*** and the adverbs: ***combien, comment, où, pourquoi, quand.***

Quel (which,what)

The interrogative adjective ***quel*** agrees with the noun in number and gender: ***Quel*** *âge a-t-il? De* ***quelle*** *couleur est-il?*

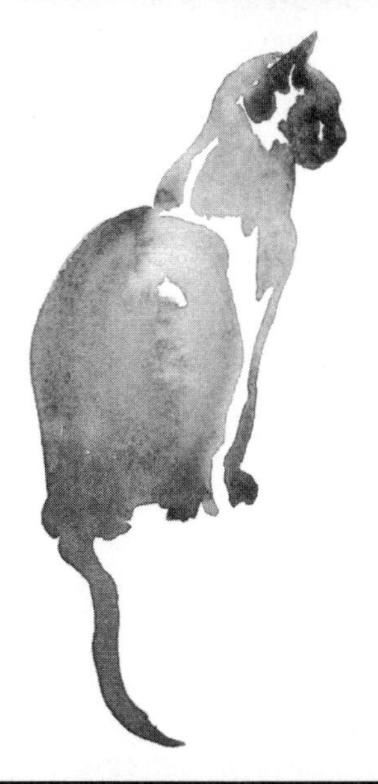

Qui (who, whom)

Qui, which is never abbreviated can be subject or object: ***Qui*** *les écoute?* ***Qui*** *écoutes-tu?*

The following forms, not involving inversion, are used more often in spoken French: ***Qui*** *est-ce qui les écoute?* ***Qui*** *est-ce que tu écoutes?*

Note use of ***qui*** with a preposition: *Avec* ***qui****?, A* ***qui****?*

Que, qu' (what)

This refers to things not people; it is used alone or, usually in spoken French, in longer form: ***Que*** *veulent-ils?* ***Qu'*** *est-ce qu'ils veulent?* ***Que*** *se passe-t-il? Qu'est-ce qui se passe?*

les mots interrogatifs

On peut commencer une question par un adjectif interrogatif ***quel*** ou un pronom interrogatif, ***lequel, que, qui, quoi.***

Quel?

Quel, adjectif interrogatif, s'accorde avec le mot qu'il qualifie:

	singulier	pluriel
masculin	quel	quels
féminin	quelle	quelles

- Dans un article, *Un psy pour animaux*, dans le magazine *Femme Actuelle*, la question suivante est posée au spécialiste:

  Quels sont les problèmes posés par les chats à leur maître?

  Au negatif, ***quel*** s'emploie ainsi:

  Quels chiens ne doit-on pas laisser tout seuls avec un enfant?

Activité 5

Ajoutez ***quel, quels, quelle*** ou ***quelles*** aux questions suivantes:

1 A ___ moment est-ce que je devrais donner à manger à mon chat?
2 ___ sont les régimes les mieux adaptés aux chats?
3 ___ nourriture est la meilleure pour les chats?
4 ___ comportement montre que l'animal est stressé?

Qui? Que?

Le pronom interrogatif ***qui*** est invariable. Le pronom interrogatif ***que*** devient ***qu'*** devant une voyelle. Les deux pronoms s'emploient en formes simples:

Qui *s'occupe du chien?*
Que *craignent les chiens?*

et en formes composées:

Qui *est-ce qui s'occupe du chien?*
Qu' *est-ce que les chiens craignent?*

Lequel?

Quand un choix est impliqué les pronoms ***lequel, laquelle, lesquels, lesquelles*** s'emploient.

Exemple: ***Lequel*** *est le plus facile à élever, le chien ou le chat?*

Activité 6

Ajoutez ***qui, que, qu', lequel, laquelle, lesquels*** ou ***lesquelles*** aux questions suivantes:

1 ___ conseillez-vous aux futurs parents qui craignent la jalousie de leur chien à l'arrivée du bébé?
2 ___ vient consulter un psychologue pour chiens et chats?
3 ___ est-ce que vous conseillez au maître dont le chat s'arrache les poils?
4 ___ des animaux pose le plus de problèmes?
5 ___ est-ce qu'on consulte si son chien est agressif?

Quoi?

Quoi s'emploie souvent seul: *Paul, viens ici.* ***Quoi****? Qu'est-ce que tu dis?*; avec un infinitif, ***Quoi*** *faire?* avec une préposition, *A* ***quoi*** *sert un psy pour animaux?*

questions 4??????????????????

Note the following adverbs:
combien? (how much/many?)
comment? (how?)
où? (where?)
pourquoi? (why?)
quand? (when?).

combien? comment? où? pourquoi? quand?

On peut poser une question en commençant la phrase par un adverbe interrogatif.

Exemples:

A l'affirmatif: *Nous allons où?/Où nous allons? (familier)*
Où est-ce que nous allons?
Où allons-nous?

Au négatif: *Il ne faut pas aller où?*
Où est-ce qu'il ne faut pas aller?
Où ne faut-il pas aller?

- Dans son livre *Fugue en haine majeure*, Anne Saraga raconte comment une jeune fille s'enfuit de chez elle puisqu'elle est malheureuse. Dans l'extrait suivant la jeune fille parle de son arrivée à *Point-Jeune,* un foyer à Paris.

Un homme en pantalon de velours et baskets, barbu, un peu baba-cool, a dévalé l'escalier et m'a serré la main, comme à une vieille amie qu'il n'aurait pas vue depuis longtemps. Ils m'ont proposé de les suivre. Où allions-nous? Qu'est-ce qui allait se passer? Et s'ils me violaient? S'ils m'emprisonnaient? S'ils me tuaient?... Au fond de l'entrée, un petit couloir... Nous sommes entrés dans une petite pièce. Ils m'ont dit qu'ils revenaient dans deux minutes. De grands fauteuils, des chaises, quelques posters aux murs, des lampes. Il n'y avait ni journaux ni revues sur la table basse de bois verni. Juste de la moquette et des sièges. C'était chaud, chaleureux. J'ai bien aimé cette pièce qui semblait être aménagée exprès pour y parler, elle me faisait penser aux boudoirs du début du siècle, où les femmes recevaient leurs amies. Ils sont revenus... Et je me suis mise à parler. *Pourquoi est-ce que je leur faisais confiance?* J'ai raconté ma fugue et mes relations avec mes parents.

faire la fugue to run away
le foyer hostel
les baskets trainers
barbu bearded
baba cool (fam.) casual style ('60s)
dévaler to descend
S'ils me tuaient? What if they killed me?
le bois verni varnished wood
la moquette carpet

Activité 7

Suivant les exemples, exprimez la question, *Pourquoi est-ce que je leur faisais confiance?*:

1 en style familier;
2 en inversant le sujet et le verbe;
3 au négatif en employant *est-ce que.*

Activité 8

Imaginez que la jeune fille rentre chez elle et que ses parents lui posent des questions sur sa fugue, sur le foyer, sur les personnes qui l'ont reçue et sur ses sentiments. Ecrivez autant de questions que possible.

Exemples:
Pourquoi n'as-tu pas téléphoné avant?
Comment est-ce que tu as trouvé le nom du foyer?
Cet homme, comment est-ce qu'il était habillé?
Comment s'appelait-il?
Il était grand ou petit?

qui, que (pronoms relatifs) 1

The relative pronouns *qui* and *que* (**which, who, that**) introduce relative clauses. These expand or modify a noun or pronoun occurring earlier in the sentence. The relative clause therefore functions as a sort of adjective:

The house... *which house?* ...that Jack built.

Les pronoms ***qui*** et ***que*** relient une proposition relative subordonnée à un substantif, un nom, ou un pronom précédent, qu'elle représente. *(Voir p. 14.)*

- Les exemples illustratifs: *que nous présentons ici* viennent tous d'un livre *qui est intitulé «Le Livre de l'histoire de France»* par Jean-Louis Besson. C'est un livre *qui raconte l'histoire de France* dans un langage *que peuvent comprendre les jeunes.**

  proposition relative: modifie exemples
  proposition relative: modifie livre
  proposition relative: modifie livre
  proposition relative: modifie langage

**Notez que les jeunes est le sujet du verbe peuvent comprendre malgré sa place dans la proposition.*

Mais qui? *ou* que?

qui: si la proposition qui suit n'a pas de ***sujet*** (***qui*** tient la place du sujet).
que: si le sujet du verbe de la proposition y figure déjà.

La Révolution de 1789, c'est un événement ***que tout le monde connaît.***

substantif — *proposition relative: modifie événement* — *pronom relatif* — *sujet → que* — *verbe*

C'est la Révolution de 1789 ***qui a changé le destin de la France.***

substantif — *proposition relative: modifie la Révolution de 1789* — *pronom relatif* — *verbe* — *sujet → qui*

● 648 Les moines savants

Les moines savants. Saint Wandrille fonde une abbaye en Normandie *qui portera plus tard son nom.*

proposition relative: modifie une abbaye — *verbe sans sujet → qui* — *pronom relatif*

le moine savant learnèd monk
franchi crossed

● 720 Les Arabes

Les Arabes, appelés aussi les Sarrasins, ont franchi les Pyrénées par le col de Roncevaux, venant d'Espagne, *qu'ils ont conquise,* et avant, d'Afrique du nord. Leur invasion a été rapide comme l'éclair.

À noter:
qui est invariable
que perd son e devant une voyelle → qu'elle

proposition relative: modifie Espagne — *pronom relatif* — *sujet → que (qu')*

● 771 Charles Ier

Charles Ier, seul roi des Francs à la mort de son frère Carloman, fait la guerre aux Saxons, des païens *qui menacent le royaume du côté de l'est.*

pronom relatif — *verbe sans sujet → qui* — *proposition relative: modifie Saxons/païens*

qui, que (pronoms relatifs) 2

pronom relatif

proposition relative: modifie serf

verbe sans sujet → qui

1000 La féodalité

Face aux invasions, aux famines, aux brigandages *qui maintiennent un état d'insécurité permanent,* les habitants se regroupent auprès de celui *qui est le plus apte à les défendre.*
Le roi étant trop loin, c'est le seigneur *qui remplit ce rôle.*

pronom relatif
verbe sans sujet dans la proposition → qui
proposition relative: modifie brigandages

proposition relative: modifie le seigneur
pronom relatif

1429 Jeanne d'Arc

Jeanne d'Arc délivre Orléans assiégée par les Anglais. L'incroyable jeune fille de dix-sept ans, *qui ne sait pas lire* mais se tient à cheval, armée comme un vieux capitaine, réveille l'espoir des foules. Il y a maintenant une chance de chasser les

Anglais et de retrouver la douceur de vivre. Après deux mois de campagne foudroyante, Jeanne achève la mission *que les «voix» lui avaient demandée:* accompagner Charles VII à Reims et le faire sacrer roi de France.

proposition relative: modifie jeune fille
verbe sans sujet → qui

proposition relative: modifie mission
le verbe a son sujet: les voix → que

Activité 1

Voici quelques définitions du lexique du *Livre de l'histoire de France.*
D'abord, à vous de distinguer les ***propositions relatives***, et d'identifier *ce qu'elles modifient* (comme nous l'avons fait pour les exemples ci-dessus).

Dauphin: Nom donné en France au fils aîné du roi qui sera l'héritier du trône.
Fief: Nom donné à la terre que le seigneur accorde à un vassal.
Képi: La coiffure de l'armée française que portent normalement les officiers.
Mercenaire: Un soldat qui loue ses services contre de l'argent.

Activité 2

Qui ou *Que*? Mettez le bon pronom relatif dans le bon endroit:

Armistice: C'est un engagement ____[1] signent les adversaires pour cesser le combat.
Comte: Au Moyen Age, un commandant militaire ____[2] est nommé par le roi et ____[3] commande la région ____[4] le roi lui a accordée.
Démocratie: Système de gouvernement ____[5] garantit à chaque citoyen l'égalité des droits.
Impôt: Contribution ____[6] chaque citoyen doit payer pour le fonctionnement de l'Etat.
Serf: Pendant la féodalité, paysan ____[7] ne possède pas sa liberté, et ____[8] cultive la terre du Seigneur.
Zazou: Mode vestimentaire ____[9] portait la jeunesse française sous l'Occupation, et ____[10] ressemble à la mode de 1985!

subjonctif 1

The subjunctive is the mood of the verb which expresses *attitude* whereas the indicative is the mood of the verb which gives us *information*. Some examples are given on the next few pages but they are not exhaustive. Collect and reflect on every example of the use of the subjunctive that you notice.

- En novembre 1989, au collège Gabriel-Havez à Creil, trois élèves, Leila, quinze ans, sa soeur Fatima, quatorze ans et, Samira, quinze ans, ont refusé d'enlever leur foulard islamique en classe. Les enseignants ont voté par 24 voix contre 6 pour refuser d'accueillir ces élèves. Dans d'autres établissements les enseignants font la grève. Lisez ces deux extraits du *Monde*:

> Les enseignants du collège des Grandchamps à Poissy (Yvelines) *ont observé une grève*, lundi 6 novembre, pour protester contre le refus d'une élève musulmane de retirer son foulard. Les cours ont pu reprendre au bout de deux heures, la jeune fille ayant finalement obtempéré.

«ont observé» indicatif
L'action est un fait.

> Après avoir divisé la France, son gouvernement et, accessoirement, le Parti socialiste, le foulard de Leila, Fatima et Samira allait-il avoir raison de l'unité du collège de Creil...? Le principal dit, «Il ne peut pas y avoir univocité dans une communauté de soixante intellectuels, mais *je ne crois pas que les professeurs soient prêts de s'affronter*. Ils cherchent seulement à recréer les conditions normales d'harmonie, de paix et de sérénité pour travailler à nouveau.»

«soient» subjonctif
Le principal exprime son opinion sur la situation.

accueillir to welcome, accept
faire la grève to go on strike
le foulard veil, scarf
obtempérer to obey
accessoirement incidentally
avoir raison de to get the better of
l'univocité (f) (here) unanimity
s'affronter to be in conflict

L'indicatif: présente l'action comme un fait:
Exemples:
Les cours ont pu reprendre.
Ils ont fait la grève.
Elles portent un voile.

Le subjonctif: exprime la possibilité, le doute, les sentiments inspirés par l'action:
Exemples:
Je ne crois pas qu'ils fassent la grève.
Elles s'étonnent qu'on leur demande d'enlever le voile.

subjonctif 2

Many verbs expressing feelings and emotions are followed by the subjunctive.

Note that if the subject remains the same, the infinitive can be used instead: e.g. *je suis désolé d'être obligé de partir* and *je suis désolé que vous* **soyez** *obligé de partir.*

subjonctif après les verbes exprimant un sentiment

Verbes exprimant un sentiment qui sont suivis du subjonctif	
commande	demander que, exiger que
désir	vouloir que, préférer que, aimer mieux que
doute	ne pas croire que, douter que, pensez-vous que? croyez-vous que?
défense	défendre que, interdire que, ne pas vouloir que
intention	attendre que, tenir à ce que
peur	craindre que...ne, avoir peur que...ne
plainte	se plaindre que, ne pas aimer que
plaisir	être content que, aimer que
regret	regretter que, être désolé que
surprise	trouver insensé que, s'étonner que, être surpris que, ne pas comprendre que

Certains verbes exprimant un sentiment ne sont suivis du subjonctif que s'ils sont au négatif ou à l'interrogatif: ***penser que, croire que, dire que, nier que, être sûr que.***

Exemple:
—Je ne crois pas qu'il puisse refuser à ces élèves le droit de porter le foulard.
— Eh bien, moi je crois qu'il peut le leur refuser.

Activité 1
Regardez les phrases suivantes et puis inventez-en une deuxième employant pour chacune d'entre elles le subjonctif du verbe indiqué.

Exemple:
Le principal demande que les jeunes filles enlèvent leur foulard. [être obéissantes]
Le principal demande que les jeunes filles soient obéissantes.

1 Les parents préfèrent que leurs filles portent le foulard. [aller au collège]
2 Le principal ne croit pas que je sois prêt à faire la grève. [vouloir faire la grève]
3 J'ai peur que le problème n'incite au racisme. [devenir pire]
4 Il trouve étonnant que les jeunes filles puissent porter le foulard. [avoir envie de porter le foulard]
5 Elles exigent que le principal accepte leur foulard. [comprendre ce qu'elles disent]

l'**émeute** (f) riot

● En octobre 1990, après la mort d'un jeune motard, Thomas Claudio, il y eut une émeute à Vaulx-en-Vélin dans la banlieue de Lyon. Des jeunes brûlèrent la place Guy-Moquet, centre de la ZUP, (la zone d'urbanisation prioritaire). Le journal *Libération* posa la question «Pourquoi Vaulx-en-Vélin?», interviewa des témoins et donna des chiffres sur la ZUP.

En parlant du serveur du café *le Torobole*, le reporter dit que M. Paul ne comprend pas qu'*on lui ait cassé* le bar qui l'emploie.

LA VILLE EN CHIFFRES

● La ZUP à elle seule représente 52,9% des habitants. Près de la moitié des occupants ont moins de 20 ans.
● Les moins de 20 ans représentent 40,3% de la population étrangère.
● Il n'y a pas de lycée dans la ville.
● 60% des élèves ont au moins un an de retard lorsqu'ils entrent en sixième.

ECONOMIE
● Taux de chômage (juin 1990): 14,5% (Rhône, 8%). Chez les moins de 25 ans: 35,2%.

SANTE
Pas d'hôpital ni de clinique. La maternité a été fermée, une nouvelle devrait s'installer.
● Nombre de médecins: 39.
● Centres médico-sociaux: 7.
● Maisons de retraite: 2.

Activité 2
Lisez *La Ville en chiffres*. Vous y trouverez des renseignements surprenants. Imaginez que le lendemain de l'émeute vous apprenez combien de jeunes habitaient à Vaulx-en-Vélin. Vous pourriez exprimer votre surprise ainsi: *Je m'étonne que la moitié des occupants aient moins de 20 ans.* Complétez les phrases suivantes exprimant l'opinion d'un habitant de Lyon sur la violence.

1 Quant au chômage, il est étonnant que...
2 Vu le nombre de jeunes, je crains qu'une telle émeute ne...
3 Ce que je veux c'est que les pouvoirs publics...
4 Il n'y a pas d'hôpital. Croyez-vous que...
5 Moi, petit commerçant, j'exige que la police...

subjonctif 3

The subjunctive follows certain conjunctions followed by *que.* Where there is no ambiguity we may choose another construction, e.g. *Il travaille afin de réussir.*

However, when the second verb has a different subject we need the subjunctive: *Je travaille afin qu'il puisse* réussir.

subjonctif après certaines conjonctions

Ces conjonctions sont suivies du subjonctif:

avant que, en attendant que, jusqu' à ce que, pour que, afin que, de manière que, de sorte que, à condition que, pourvu que, sans que, quoique, bien que, à moins que.

- La Commission européenne des droits de l'homme a examiné plusieurs plaintes contre les châtiments corporels infligés dans les écoles. Dans cet extrait d'un article sur *Le Droit des enfants à la dignité*, on raconte la plainte de deux mères de famille, Mmes Cosans et Campbell:

> Leurs deux fils étaient inscrits dans une excellente école d'Ecosse. *Jusqu'à ce que* le jeune Campbell *soit* renvoyé dans ses foyers pour trois jours de mise à pied. Motif? Il avait refusé de se soumettre à une punition ordonnée par un de ses professeurs. En clair, il refusait de tendre les mains pour le coup de fouet en cuir rituellement infligé dans ces cas-là.

La conjonction «jusqu'à ce que» est suivie du subjonctif «soit».

renvoyé dans ses foyers sent home, excluded
le fouet en cuir leather instrument used for corporal punishment

De sorte que

Quand ***de sorte que*** exprime un résultat plutôt qu'un but c'est l'indicatif qu'il faut utiliser:

Exemple:

Je n'envoie pas mon fils au lycée **de sorte que** *(afin que) personne ne puisse lui infliger un châtiment corporel.*

A noter

Je garde mon fils à la maison **de sorte que** *(et par conséquent) personne ne lui a jamais infligé un châtiment corporel.*

Quelquefois d'autres constructions sont possibles.

Exemples:

1 Quoique fâchée, elle n'a pas puni son fils.
2 Pour comprendre pourquoi il avait été puni, elle a parlé avec ses profs.
3 Afin de poursuivre leurs études, ils sont retournés en classe.
4 Sans être vu par le proviseur, il est parti.

Quelquefois l'emploi du subjonctif empêche l'ambiguïté.

Exemples:

1 Avant son retour au collège, sa mère lui a dit d'être sage. (Qui est retourné, la mère ou le fils?)
2 Avant qu'il soit retourné au collège, sa mère lui a dit d'être sage.

Activité 3

Choisissez entre ***avant que, sans que, afin que*** et le subjonctif et ***avant de***, ***sans,*** et ***afin de*** et l'infinitif.

Exemple:

Sans ___ [comprendre], les deux garçons ont obéi.
Sans comprendre, les deux garçons ont obéi.

1 Les deux mères ne renvoient pas leurs fils à l'école sans ___ [se plaindre].
2 Avant que tu ___ [pouvoir] retourner à l'école, je devrai voir le proviseur.
3 Afin qu'___ [être] sages, leur mère a puni ses fils.

Et maintenant, terminez ces phrases-ci:

4 Sans comprendre pourquoi, les deux élèves...
5 Sans qu'ils comprennent...
6 Avant d'arriver à l'école...
7 Avant qu'elle arrive à l'école...
8 Avant son arrivée...
9 Afin de suivre les instructions du prof, ils...
10 Afin que les élèves...

subjonctif 4

The subjunctive follows some impersonal verbs after ***que*** but other constructions are possible, for example: *il est normal de lui prêter la voiture* instead of *il est normal que tu lui* ***prêtes*** *la voiture* or *il me faut aller en ville* instead of *il faut que* ***j'aille*** *en ville.*

subjonctif après des expressions impersonnelles

- Dans cet extrait d'un article sur Sean Connery dans le magazine *Elle*, l'acteur parle des films où il a joué 007.

Le public adorait ces films, mais les gens n'imaginaient pas que je pouvais faire autre chose. J'avais beau vouloir changer, *il fallait toujours que je revienne.* La dernière fois que j'ai repris le rôle, en 1983 dans «Jamais plus jamais», *il a fallu que je prenne* les choses en main. Il y avait tellement d'incompétence et de dissensions que c'est l'assistant du réalisateur et moi qui avons réellement fait le film. Après, je fus définitivement convaincu qu'*il fallait tourner* la page, même si James Bond me rapportait beaucoup d'argent.»

«il fallait que» suivi du subjonctif

«il a fallu que» suivi du subjonctif

«il fallait» suivi de l'infinitif

Après certaines expressions impersonnelles le verbe s'emploie au subjonctif; en voici des exemples:

Possibilité	Nécessité	Opinion
il est possible que	*il faut que*	*il est bon que*
à supposer que	*il est nécessaire que*	*il est juste que*
il se peut que	*il vaut mieux que*	*il est normal que*
il semble que	*il est temps que*	
il n'est pas certain que		
il est question que		

Mais on emploie l'indicatif après *il me semble que, il est probable que, il est certain que.*

Activité 4

il faut → infinitif　　il faut que → subjunctive

Exemple: *Il te faut revenir.*
Il faut que *tu* ***reviennes.***

1. Il nous faut comprendre.
   Il faut que nous...
2. Il leur faut faire un effort.
   Il faut qu'ils...
3. Il vous faut être courageuses.
   Il faut que vous...

Activité 5

Inventez une deuxième phrase pour remplacer chacune des phrases suivantes. Il faut que la deuxième ait le même sens que la première et contienne le mot ou les mots en italiques.

1. Je pense que Sean Connery devrait jouer le rôle.
   Il vaut mieux que...
2. A mon avis, il est le meilleur acteur.
   Il me semble que...
3. On a attendu trop longtemps pour choisir un autre Bond
   Il est temps que...
4. Il se peut qu'on puisse trouver un acteur aussi doué.
   Il est probable...
5. Il te faut voir ce film.
   Il faut que...

A noter

Il fallait est suivi de l'infinitif. *Il fallait que* est suivi du subjonctif. En voici d'autres exemples:

il vaut mieux jouer le rôle **mais**
il vaut mieux qu'il joue *le rôle*
il est temps de choisir **mais**
il est temps q*u'il* ***choisisse***

subjonctif 5

L'islam fait-il peur à ce point aux Français pour que l'affaire des foulards de Creil divise le pays?

dans l'inconscient collectif subconsciously (people are afraid of...)
soumis submissive
induit par induced by

subjonctif après des expressions impersonnelles

- Dans le magazine *Elle*, cette question est posée à Noria Allami, Marocaine, auteur de *Sexe, idéologie, islam.*

  Et voici sa réponse:

  Pour les Français, derrière le voile se profile le «péril islamique.» L'islam est aujourd'hui la deuxième religion de France. Dans l'inconscient collectif se dessine la crainte de l'invasion totale du pays par les musulmans. De plus, l'image de la femme soumise, induite par le voile, est insupportable pour un peuple qui a consacré les valeurs d'égalité et de liberté.

Activité 6

Réfléchissez à sa réponse et puis inventez un dialogue entre:

1 un(e) Français(e) qui a peur que les femmes ne soient obligées de porter le foulard et croit que la France est en train d'être *envahie* par les musulmans, et
2 un(e) Français(e) qui défend vigoureusement les droits de l'homme, y compris le droit à sa religion.

Essayez de commencer les phrases par: *il semble que, il est normal que, à supposer que, il n'est pas certain que, il me semble que...*

The subjunctive is needed in a relative clause when the antecedent is qualified by a superlative, a negative expression, or when it describes a type or category envisaged rather than something which exists.

subjonctif après un pronom relatif

Le verbe se met au subjonctif dans une proposition subordonnée suivant un pronom relatif si:

1 l'antécédent est accompagné d'un superlatif: *le seul, l'unique, le premier, le dernier;*
Ex: *Je cherche* ***le meilleur*** *lycée* ***qui soit...***

2 si l'antécédent est au négatif;
Ex: ***Il n'y a pas*** *de lycée* ***qui soit*** *meilleur que celui-ci.*

3 si la subordonnée décrit une chose envisagée plutôt qu'une chose qui existe;
Ex: ***Je rêve d'un*** *lycée* ***qui me permette*** *d'étudier le danois.*

Nous ne mettons pas le subjonctif si la subordonnée relative exprime un fait dont nous voulons souligner la réalité:

- La psychologue, Françoise Dolto n'est pas contente des lycées français. Elle dit: *Pour les jeunes Français, le lycée semble être devenu l'endroit le* ***plus ennuyeux qui soit.***

  Elle aurait pu dire, en parlant d'un lycée *qu'elle avait vu*:
  Ce lycée est le plus grand que j'ai vu à Lyon.

Activité 7

Comblez les vides en employant le subjonctif:

1 A mon avis, ce livre est le plus intéressant que j'____. [lire, au passé composé du subjonctif]
2 Je crois que Françoise Dolto est la meilleure psychologue qui ____. [être]
3 Il n'y a rien dans les opinions de Françoise Dolto qui ____ [pouvoir] choquer les gens.
4 Le moins qu'on ____ [pouvoir] dire c'est que Françoise Dolto comprend les jeunes.

subjonctif 6

subjonctif après un pronom relatif

- Dans le magazine *Le Nouvel Observateur* on voit les petites annonces de ceux qui cherchent un compagnon idéal. En voici un exemple:

> Ingénieur, brun, yeux bleus, 40 a, cél, sportif, cherche F de 30–35 ans, cult, mince, non fumeuse, BCBG, pour partager voyages en France...

BCBG (bon chic, bon genre) well-bred
mince slim
cultivé having good taste, cultured

Ce célibataire sportif cherche une femme qui ait 30 à 35 ans, qui soit cultivée et mince et qui ne fume pas. Il ne sait pas si elle existe. Il la catégorise, donc le subjonctif est nécessaire.

Activité 8

Terminez ces phrases, employant le subjonctif dans la subordonnée.

Exemple:
Je cherche un copain qui...
Je cherche un copain qui me comprenne et qui ne soit pas égoïste.

1 Je cherche un copain qui...
2 Je voudrais un emploi qui...
3 Je rêve d'une maison qui...
4 Je cherche une université qui...

Commencez ces phrases:

5 ... dont je puisse être fier.
6 ... où il n'y ait plus de bruit.
7 ... qui lui permette de se bronzer.
8 ... qui ne coûtent pas plus de trois cents francs.
9 ... qui sache parler espagnol.

Activité 9

1 Inventez les rêves des personnes dans les photos.
2 De quoi rêvez-vous?

le stage course of study, training course

1

2

3

subjonctif 7

Qui que (whoever);
où que (wherever);
quoi que (whatever);
quel... que (whatever);
quelque, si, aussi, tout que (however).

All of the above are always followed by the subjunctive.

novateur innovatory
le niveau standard
exclure to exclude

subjonctif après qui que, où que, quoi que...

● Françoise Dolto raconte comment les instituteurs de l'école primaire Edouard-Herriot de Fresnes ont aidé les enfants à interpréter un opéra. Elle dit: «Ce qui est résolument novateur de la part des adultes responsables est de n'avoir exclu aucun enfant de l'école par sélection, et d'avoir mobilisé toutes les énergies des élèves *quels que soient* les niveaux.»

De la même façon sont suivis du subjonctif:

qui que
qui qu'ils soient, ils peuvent jouer un rôle
whoever they are...

quoi que/qui
quoi qu'ils disent, les profs insistent
no matter what they say...

quelque(s)
quelques enfants qu'ils aient aidés, tous ont bien joué dans l'opéra
whatever kind of children...

quel, quelle, quels, quelles que suivis du verbe «être»
quels que soient les niveaux, tous sont mobilisés
whatever their standard...

où que
où qu'ils puissent le trouver les profs ont encouragé le talent
wherever they find it...

aussi / quelque / si / tout
quelque fatigués qu'ils soient, ils ont trouvé de l'énergie; tout petits qu'ils soient ils ont fait quelquechose
however tired...

Activité 10
En pensant à une personne que vous admirez ou que vous détestez, faites des phrases:

Exemple:
Quelles que... Quelles que soient mes difficultés elle m'aide toujours.

1 Qui que...
2 Quoi que...
3 Quelques...
4 Quelles que...
5 Où que...
6 Si que...

subjonctif, résumé

à l'unanimité unanimously
le droit (les droits de l'homme) right (human rights)
veiller à to attend to

Activité 11
● Expliquez l'emploi, dans l'extrait ci-dessous du subjonctif *soit* et *fasse* et de l'indicatif *donnera*:

Les Nations unies ont adopté à l'unanimité la convention sur les droits des enfants.
(*Le Monde*)

Mme. Hélène Dorlhac, secrétaire d'Etat à la famille, *souhaite que la France soit* l'une des premières nations à ratifier la convention. *Elle espère que le Parlement donnera* son accord dès cette session ou, au plus tard, à celle du printemps prochain. *Elle aimerait également qu'un Français fasse partie* des dix experts du comité qui sera chargé de veiller à l'application du texte.
(*Le Monde*)

subjonctif 8

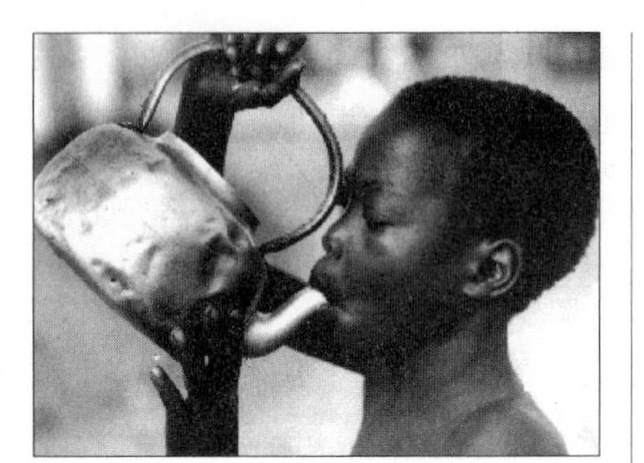

● Lisez ces extraits des principales dispositions de la Convention.

> **Opinion de l'enfant** – Le droit de l'enfant, dans toute question ou procédure le concernant, d'exprimer son opinion et de voir cette opinion prise en considération.
>
> **Séparation d'avec les parents** – Le droit de l'enfant de vivre avec ses parents à moins que cela ne soit jugé incompatible avec son intérêt supérieur; le droit de maintenir des contacts avec ses deux parents s'il est séparé de l'un d'entre eux ou des deux; les obligations de l'Etat au cas où il est responsable des mesures ayant amené la séparation.
>
> **Le droit à un nom dès la naissance et le droit à une nationalité.**

Activité 12

Complétez ces phrases:

Exemple:
Je trouve étonnant que nous ___ [attendre] 10 ans avant de ___ [lire] ce texte.
Je trouve étonnant que nous attendions 10 ans avant de lire ce texte.

1 Il faudrait que tout le monde le ___. [lire]
2 Il faut le ___ [faire] si jeune que vous ___. [être]
3 J'espère que tous ceux qui ont droit à une nationalité l'___. [avoir]
4 A moins qu'on ___ [faire] du mal à autrui je ne comprends pas qu'on ___ [être] obligé de revendiquer la liberté d'expression.
5 Ce texte est le plus puissant que j'___ [lire au passé composé]
6 Il est insensé que l'Etat ___ [pouvoir] priver un enfant du droit de vivre avec ses parents.
7 Croyez-vous qu'un enfant ___ [être] mieux en prison avec sa mère qu'ailleurs?
8 Ma mère a lu cet article de sorte que le lendemain elle ___ [vouloir] en parler avec moi. [de sorte que = par conséquent]
9 Où qu'ils ___ [vivre] les enfants ont le droit à une nationalité.
10 Il me semble que, à condition que les droits d'autrui ___ [être] respectés, nous ___ [devoir] accorder aux enfants le droit de former des associations.
11 Pourvu que je ___ [réfléchir] avant de ___ [parler] je ne vois pas de raison pour ne pas exprimer mon opinion.
12 Je crains que les enfants ne ___ [pouvoir] s'empêcher d'offenser les gens.

Activité 13

A votre avis, quels sont les droits de l'enfant vis-à-vis de la religion, la vie privée, le développement de ses capacités? Parlez-en avec des amis et puis écrivez un paragraphe en essayant d'employer des phrases commençant par:

je ne crois pas que, je comprends que, afin que, il me semble que (N.B. *il semble que* est suivi du subjonctif mais *il me semble que* est suivi de l'indicatif), *quels que soient, avant que.*

subjonctif 9

Présent

Verbes réguliers

Remplacez le *-ant* du participe présent par: *-e, -es, -e -ions, -iez, -ent.*

Exemples:

arriv/ant, finiss/ant, rend/ant

que	j'arriv*e*	que nous arriv*ions*
que	tu finiss*es*	que vous finiss*iez*
qu'	il rend*e*	qu'ils rend*ent*

Verbes irréguliers à noter

avoir:	j'aie, nous ayons	être:	je sois, nous soyons
aller:	j'aille, nous allions	boire:	je boive, nous buvions
croire:	je croie, nous croyions	devoir:	je doive, nous devions
envoyer:	j'envoie, nous envoyions	faire:	je fasse, nous fassions
mourir:	je meure, nous mourions	pouvoir:	je puisse, nous puissions
prendre:	je prenne, nous prenions	recevoir:	je reçoive, nous recevions
savoir:	je sache, nous sachions	venir:	je vienne, nous venions
vouloir:	je veuille, nous voulions	voir:	je voie, nous voyions

Imparfait (employé de moins en moins)

Remplacez le dernier *s* de la deuxième personne au singulier du passé simple par: -*sse, -sses, -^t, -ssions, -ssiez, -ssent*

tu acheta/s	*tu fini/s*	*tu entendi/s*	*tu eu/s (avoir)*
j'acheta*sse*	fini*sse*	entendi*sse*	eu*sse*
tu acheta*sses*	fini*sses*	entendi*sses*	eu*sses*
il achetâ*t*	finî*t*	entendî*t*	eû*t*
nous acheta*ssions*	fini*ssions*	entendi*ssions*	eu*ssions*
vous acheta*ssiez*	fini*ssiez*	entendi*ssiez*	eu*ssiez*
ils acheta*ssent*	fini*ssent*	entendi*ssent*	eu*ssent*

Passé composé, plus-que-parfait

*Que j'**aie** mangé, que j'**eusse** mangé*
*Qu'il **soit** allé, qu'il **fût** allé*

Concordance des temps

En français écrit, quand le verbe principal est au passé simple, à l'imparfait, au passé antérieur ou au plus-que-parfait, le subjonctif s'emploie à l'imparfait ou au plus-que-parfait. Cependant, ces deux temps s'emploient rarement même dans le français écrit et il faut les éviter en français parlé.

Exemple: *Il avait été désolé que Marie **refusât** de l'épouser.*

Conditionnel

L'imparfait du subjonctif peut servir comme forme littéraire du conditionnel (voir page 59).

A noter: *Je n'épouserais pas Kylie **fût-elle** la dernière femme au monde. (= même si)*

Le subjonctif dans les propositions principales

Le subjonctif s'emploie dans la plupart des cas dans les propositions subordonnées mais il s'emploie aussi dans des propositions principales.

Exemple: *Je l'attends depuis une heure. **Qu'il vienne!** (pour exprimer l'impératif ou un souhait).*

*Ainsi **soit-il.*** (Amen.)

venir + de + infinitif 1

This construction describes an action recently completed, and corresponds to
to have just/had just
e.g. *I've just put the cat out.*

Cette construction marque une *proximité passée*, c'est-à-dire qu'on peut l'utiliser lorsqu'on veut indiquer une action qui s'est passée *récemment, il y a quelques instants*, ou *il y a peu de temps.*

- Ces textes racontent des événements récents:

- **LISEZ**

LES DERNIERS-NÉS DE CASINO

UNE AVALANCHE DE PATISSERIES

Plus question de rester sur sa faim... de petites douceurs. Casino vient de lancer un choix de petites patisseries pour les petits creux en cours de journée, les petits déjeuners énergétiques et les goûters gourmands. Pour

le supermarché Casino a introduit de nouveaux produits récemment

- A la maison en début de soirée:

  «Dis, chéri, tu n'as pas allumé la télé? Il n'y a rien à regarder ce soir?»

  «Chut!! Il vient de s'endormir. Ne fais pas de bruit!»

  «Ah, bon! Excuse-moi.»

le creux empty stomach
énergétique energy-giving

le braqueur mugger
sûreté urbaine CID

- **Deux affaires de hold-up élucidées**

Si en cette période de fêtes, les braqueurs mettent les bouchées doubles pour remplir leurs propres hottes de Noël, les policiers ne perdent pas de temps eux non plus dans leur traque. C'est ainsi que les enquêteurs de la section criminelle de la sûreté urbaine dirigée par le commissaire Mercier, *viennent de résoudre* deux affaires de braquage.

Le 21 novembre dernier, alors qu'un passant sortait de la station de métro de la Part-Dieu il était soudain agressé par un individu qui sous la

Le Progrès 6.12.1989

les détectives ont résolu les deux affaires récemment/il y a peu de temps

le 21 novembre – braquage
les détectives mènent l'enquête
le 4 décembre – braqueurs arrêtés
le 6 décembre – reportage dans le Progrès
= événement récent

Au temps présent

Tous les exemples de cette page sont au *temps présent* du verbe venir:

je	viens	nous	venons
tu	viens	vous	venez
il / elle / on	vient	ils / elles	viennent

On raconte *à l'heure actuelle*, un événement qui s'est passé récemment.

venir + de + infinitif 2

A l'imparfait

Mais on peut aussi former cette construction à *l'imparfait* du verbe ***venir*** quand il s'agit d'une série d'actions qui ont toutes eu lieu dans le passé, *bien avant le moment de leur reportage…*

je	venais	nous	venions
tu	venais	vous	veniez
il / elle / on	venait	ils / elles	viennent

● Ce texte a paru dans le journal lyonnais *Le Progrès* un lundi:

Lyon: noctambule braquée

Dure fin de nuit vendredi à 3 heures pour le client d'une «boîte» de la rue de la Bombarde. Il venait de quitter l'établissement quand un individu a surgi arme au poing. Sous la menace, il a été contraint de donner son portefeuille au malfaiteur qui a ensuite pris la fuite à pied.

La section criminelle de la sûreté urbaine a été chargée de l'enquête.

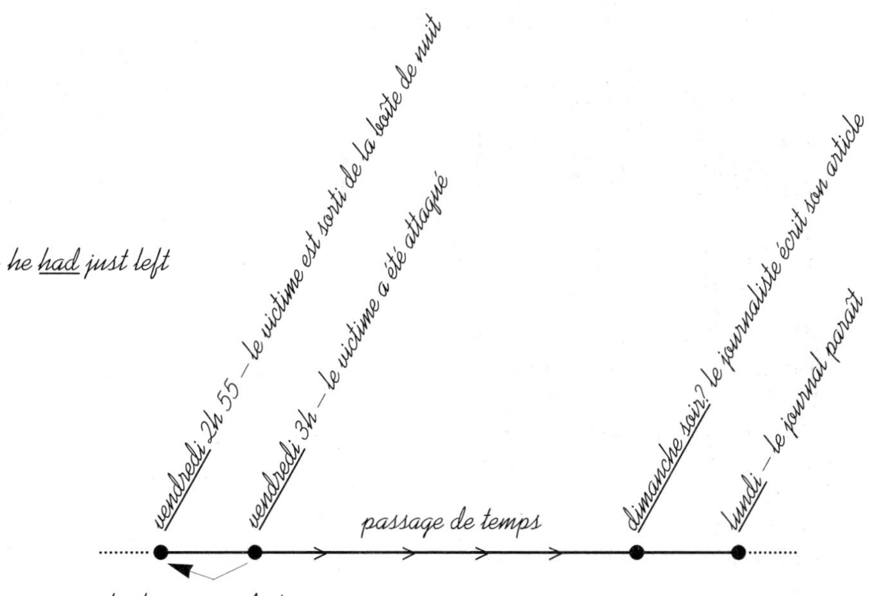

la noctambule 'night owl'
arme au poing holding a gun
prendre la fuite à pied to run off

Activité 1

Maintenant, à vous de remplir les blancs, par les formes du verbe *venir* (au temps présent ou à l'imparfait?) qui manquent:

Un jeune homme parle avec sa copine…

«Mais qu'est-ce que tu faisais hier soir quand j'ai téléphoné, hein?»
«Alors attends… hier? Ah oui! Je ____[1] juste de prendre mon bain.»
«C'était vers neuf heures, c'est ça?»
«Oui, oui.»
«Eh ben, oui, voilà.»

Une jeune fille vient de finir sa consommation au café…

«Voilà, Mlle, votre ticket de caisse. Si vous vouliez régler tout de suite, ça m'arrangerait, parce que je suis sur le point de terminer mon service.»
«Oui, mais ho-là, mais je ____[2] juste de réaliser que j'ai oublié mon porte-monnaie.»
«Ah, alors là… »

Un policier mène une enquête et interroge une jeune femme…

«Pour résumer… voulez-vous bien me dire ce que vous veniez de faire lorsque vous avez entendu commencer le journal de treize heures à la télévision?»
«Bien je ____[3] tout juste de rentrer… je ____[4] d'enlever mon manteau. Quand j'ai allumé la télé, le journal venait de commencer.»
«Bon d'accord, mais vous en êtes sure, hein? Pas de possibilité d'erreur?»

verbes pronominaux 1

A **reflexive verb** (*verbe pronominal*) is one used with a **reflexive pronoun** which *reflects* the action of the verb back to the subject. One could say that the subject and the object of the verb are identical:

object
Je me lave.
subject pronoun — reflexive pronoun — verb

I wash (myself).
I and *myself* are one-in-the-same person.
i.e. *I get washed.*

Verbe pronominal: verbe accompagné d'un pronom personnel qui représente le sujet (une chose ou une personne). Dans ces cas le pronom personnel s'appelle ***pronom pronominal*** (ou ***pronom réfléchi***) et est, dans un sens, un ***complément*** du verbe:

je = me
(le sujet est aussi le complément du verbe)

je ≠ le bébé
(le sujet et le complément sont deux individus séparés)

On peut dire que dans toute proposition qui contient un pronom pronominal, le ***sujet*** est à la fois l'***auteur*** et le ***complément d'objet*** du verbe.

- Une femme qui est professeur de lettres et qui habite dans une maison communautaire à Vitry, dans la région parisienne, parle de sa routine journalière:

la maison communautaire commune
le supplice torture

en italiques:
les verbes pronominaux accompagnés de leur pronom pronominal

Je vais tous les jours au lycée. Je *me lève* à huit heures, en général, sauf quand je n'ai pas cours le matin, je ne *m'occupe* pas des enfants dans ce cas. Sinon, je *me lève* à huit heures, je réveille les enfants, souvent ils sont déjà réveillés, je leur dis de *se préparer*, je *m'habille* et l'on descend. On prend notre petit déjeuner avec les quatre enfants. C'est un moment très agréable, en général très vivant. Il y a toujours un des adultes qui *s'occupe* d'eux, soit moi, soit ma soeur, soit mon mari. J'aime bien *me réveiller* sans réveil et sans que ce soit un supplice de sortir du lit. Je vais à mon travail en voiture. C'est pareil, je ne peux pas conduire quand je viens de *me réveiller*, il me faut une heure à peu près pour bien *me réveiller*. J'aime bien avoir ce temps où je *me prépare*... Le trajet en voiture aussi. Il n'est pas long mais ça me permet, dans ma tête, de *me changer*, de *me préparer*.

Le soir

Quelquefois quand je remonte il faut encore que je prépare mes cours. J'ai horreur de travailler le soir, je le fais rarement, je *m'arrange* pour le faire pendant les matinées libres, je travaille souvent à ce moment-là. Les journées où j'ai beaucoup de travail, je *m'occupe* très peu du ménage, du linge...

Pour la toilette des enfants, je ne les ai pas assez habitués à *se laver* seuls tous les jours. Il *se lavent*, ils prennent de temps en temps des bains, pas tous les jours, une douche.

Les pronoms pronominaux

Les ***pronoms pronominaux*** (ou ***pronoms réfléchis***) qui correspondent aux pronoms personnels de sujet sont:

je	me	lève
tu	te	prépares
elle/il/on	se	lave
nous	nous	occupons
vous	vous	arrangez
elles/ils	se	réveillent

Ces pronoms pronominaux doivent correspondre aux pronoms personnels sujet et se placent avant le verbe pour tous les temps du verbe ainsi que pour son infinitif *(mais voir un mot final à la page 137).*

(devant voyelle: me = m', tu = t', se = s')

verbes pronominaux 2

On peut, cependant, distinguer *plusieurs catégories* de verbes pronominaux:

- Lisez d'abord ce passage du journal *Ici Paris* sur Johnny Hallyday (son vrai nom est Jean-Philippe Smet) idole vétéran du rock français:

IL y a presque un an, certains *s'amusaient* à parler sur le bonheur de Johnny Hallyday, persuadés qu'il ne *se marierait* pas une nouvelle fois ou bien que, s'il le faisait, cela ne durerait pas. Heureusement, ils *se trompaient.* Depuis dix mois Johnny est heureux avec Dadou...

Pour eux, la vie a commencé le 9 juillet dernier, lorsque mademoiselle Adeline Blondieau est devenue officiellement madame Smet, à la mairie de Ramatuelle. Vous *vous souvenez* sans doute des cinq mille fans rassemblés sur la place pour voir leur idole, de la fête gigantesque qui a suivi, le soir, au château de la Messardière. Un vrai conte de fées devenu réalité.

Et pourtant... Comme toujours, lorsqu'il *s'agit* de Johnny...

en italiques: verbes pronominaux et pronoms pronominaux sujet = complément

le conte de fée fairy-tale

Verbes pronominaux réfléchis

Tous ces verbes sont pronominaux dans le sens qu'on a déjà étudié à la page précédente: l'action du verbe est faite et reçue par le sujet. On peut donc les appeler ***verbes pronominaux réfléchis.***

... les bruits *se succédaient* à la vitesse du vent. Bien sûr, comme la plupart des couples, Johnny et Adeline ont dû connaître des désaccords. Lorsque chacun a du tempérament, c'est inévitable, mais cela leur permettait aussi de mieux se *réconcilier* ensuite. Car Dadou et son rocker de mari ont un avantage: ils *se connaissent* depuis toujours!

Dynamisme et soif de vivre

Elle savait donc que tout ne serait pas simple dans sa vie de couple, mais elle savait aussi comment prendre son époux par le cœur et le faire rire. Quant à Johnny, il a vu la petite fille devenir une adolescente puis une femme. Il sait ce qu'elle aime et ce qui la touche, son dynamisme et sa soif de vivre. Leur différence d'âge n'a contribué qu'à les aider à mieux *se découvrir* et à mieux *s'aimer*, tout en étant capables de *se surprendre* encore mutuellement.

en italiques: tous les verbes et pronoms pronominaux

i.e. followed upon one another

i.e. to be reconciled with each other, each with the other

i.e. have known each other

i.e. discover each other

i.e. love one another

i.e. surprise one another

Verbes pronominaux réciproques

Directs

Dans ces six derniers exemples ci-dessus, les personnes désignées par le sujet, Johnny et Adeline, font l'une sur l'autre l'action indiquée par le verbe. On peut donc parler de ***verbes pronominaux réciproques directs.*** (Notez que le mot «mutuellement» renforce cette idée.)

Johnny et Adeline ***se sont dit*** *des mots d'amour, et une fois ensemble, ils* ***se sont promis*** *de rester fidèles l'un à l'autre pour toujours.*

i.e. to each other

i.e. promised each other

Indirects

Ces verbes sont suivis d'un complément ***indirect*** (dire quelque chose ***à*** quelqu'un, promettre ***à*** quelqu'un de faire quelque chose). On parle donc de ***verbes pronominaux réciproques indirects.***

verbes pronominaux 3

- Dans son livre *Cuisine pour toi et moi* Ginette Mathiot décrit les différents modes de cuisson, dont *la grillade:*

> Pour griller un aliment vous devez l'exposer à une certaine distance d'un feu ardent. Il faut que la cuisson *se fasse* à l'intérieur, tandis que l'extérieur doit être soumis à une coagulation rapide qui va jusqu'à la caramélisation.
> A la maison, la grillade *se fait* dans la cuisinière à gaz ou à l'électricité, grâce au grilloir ou au gril par contact. En plein air, au cours du pique-nique, elle *se fait* sur le barbecue, au charbon de bois ou sur des braises de bois odorants(...)
> L'assaisonnement (herbes, épices) *se met* avant la cuisson, le sel après.

l'aliment (m) item of food
le charbon de bois charcoal

Dans chacun des exemples indiqués, le verbe est pronominal, mais on aurait pu remplacer cette construction par un passif, ou un passif évité par «on... »
(voir Passif, page 101–2):

il faut que la cuisson soit faite à l'intérieur
la cuisson est faite sur la barbecue ou *on fait la cuisson...*
l'assaisonnement est mis... ou *on met l'assaisonnement...*

Verbes pronominaux passifs

On peut donc considérer ces verbes pronominaux en tant que **verbes pronominaux passifs.** (On les trouve uniquement à la 3ème personne).

NB Nous avons vu que beaucoup de verbes peuvent s'employer avec, ou sans, un pronom pronominal:

*je **me** réveille/je réveille les enfants.*

Il est donc plus utile de parler d'un ***verbe employé pronominalement*** que de parler ***d'un verbe pronominal.***

Cependant, certains verbes s'emploient exclusivement sous la forme pronominale: s'abstenir, s'évanouir, se repentir, se souvenir etc.

Il faut donc distinguer cette catégorie de:

It is better to refer to these verbs as **verbs used reflexively** rather than **reflexive verbs**, as many verbs can be used with or without a reflexive function, according to the meaning.

Verbes pronominaux proprement dits (il n'y en a pas beaucoup)

NB On remarque aussi que, bien que beaucoup de verbes puissent s'employer avec ou sans pronom pronominal selon les besoins de la phrase, certains verbes prennent un sens différent à la forme pronominale et à la forme simple. A chercher dans un grand dictionnaire:

1 apercevoir/s'apercevoir de
2 douter/se douter de
3 oublier/s'oublier de
4 passer/se passer de
5 rendre/se rendre à

Résumons les catégories de verbes pronominaux

1 **Verbes pronominaux réfléchis** (sujet = complément).
2 a **Verbes pronominaux réciproques directs** (sujet (au pluriel), verbe, pronom pronominal indiquant complément direct de ce verbe).
  b **Verbes pronominaux réciproques indirects** (sujet (au pluriel), verbe pronom pronominal indiquant complément indirect de ce verbe).
3 **Verbes pronominaux passifs** (on pourrait substituer une construction au passif à la place du verbe pronominal).
4 **Verbes pronominaux proprement dits.**

verbes pronominaux 4

Activité 1

Lisez ces petits morceaux de texte, puis faites une liste de tous les verbes pronominaux, et attribuez à chacun d'entre eux une catégorie à partir de la liste en bas de la page précédente.

1 Le dimanche je me lève tard. Mon fils et mon mari se lèvent toujours de bonne heure. On se fait un jus de fruits et un petit café bien corsé. Après le petit déjeuner, nous allons nous promener dans le bois à côté, sinon on fait une partie de Scrabble.
2 Les grillades se mangent chaud accompagnées de légumes ou froid avec une salade.
3 Après six mois ensemble Laurent et Olga se sont séparés définitivement.
4 Je crois le reconnaître d'après la photo, mais je ne me souviens pas de son nom.
5 Marie-Claude et Sophie se téléphonent à peu près tous les quarts d'heure.
6 Les voitures d'occasion ne se vendent pas très bien en juillet.

7

LE TEMPS DE MER

Sur les régions côtières, la présence de la mer entraîne un temps particulier. Grâce aux vents qui y soufflent, les côtes sont plus humides que l'intérieur des terres, surtout si elles sont sous le vent dominant. Elles peuvent aussi être nuageuses. Alors que les cumulus se forment sur les terres pendant le jour, au-dessus des côtes face aux vents, ces nuages s'accumulent même la nuit, quand un vent froid souffle sur une mer chaude, et amènent parfois des averses locales. De la même façon, des brouillards se forment en mer, puis s'étendent sur les terres. Au lever du jour, la mer est souvent recouverte d'une épaisse brume qui ne se disperse que si le vent change ou si la chaleur du soleil l'évapore.

8 **Chanson: *Le Tourbillon***

Elle avait les yeux, des yeux d'opale,
Qui me fascinaient, qui me fascinaient.
Y avait l'opale dans son visage pâle
De femme fatale qui m'fut fatale.
On s'est connu, on s'est reconnu,
On s'est perdu de vue, on s'est r'perdu de vue
On s'est retrouvé, on s'est réchauffé
Puis on s'est séparé.
Chacun pour soi est reparti,
Des l'tourbillon de la vie.
...
Sa voix si fatale, son beau visage pâle
M'émeuvent plus que jamais.
Je me suis saoulé en l'écoutant.
L'alcool fait oublier le temps.
Je me suis réveillé en sentant
Des baisers sur mon front brûlant.

corsé strong(ly flavoured)
côtier (côtière) coastal
l'averse (f) downpour
le tourbillon whirlwind
saoulé drunk, intoxicated
le baiser kiss

Activité 2

Regardez les symboles [?]. Faut-il un pronom pronominal ou pas? Si oui, mettez-le.

1 Je [?] réveille vers 6h 30 et puis je [?] réveille Loïc.
2 Ce vin rosé [?] boit très bien avec le poulet, ou en apéritif.
3 Après la sieste, nous allons [?] promener le long de la plage.
4 Normalement je [?] prépare mes leçons avant de manger, mais il m'arrive de [?] faire mes devoirs juste avant de [?] coucher.
5 «Dominique, tu [?] rends à son bureau sans [?] coiffer?»
6 Les choses [?] sont très bien arrangées. Moi, je [?] suis occupé du chat pendant les vacances, et eux, ils [?] sont partis tranquilles.
7 Il y en a qui [?] plaisent à [?] habiller leurs animaux comme s'il [?] agissait d'enfants.
8 «Qu'est-ce qui [?] passe ici? Vous ne [?] êtes pas encore couchés?»

Un mot final

- l'impératif (sans négation) déplace le pronom pronominal *après* le verbe, et emploie les formes:

moi	toi	soi lui elle	... ...	eux elles
me	te	se		se

au lieu de *«lève-toi!»* *«dépêchons-nous!»*

- au passé composé (ainsi qu'aux autres temps composés), tout verbe pronominal prend *être* comme verbe auxiliaire.

y adverbe, pronom

Y, adverb, meaning **there.**

Y, pronoun, meaning **to/of/in it/in them.**

Y can represent things and ideas but not people: e.g. *j'envoie une lettre* ***au ministre*** *(je lui envoie une lettre)* **but** *j'envoie une lettre* ***au château*** *(j'y envoie une lettre).*

Commands *Allez-y. N'y allez pas.*

Standing for à + infinitive *Elle a réussi* ***à le faire****? Oui, elle y a réussi.*

la fourrure fur
la bêtise stupid act
insoutenable unbearable
effroyable dreadful
remuer move
trouver à redire find something to criticize
la pub (publicité) advertisement

Y représente ***une idée, un nom*** (chose ou animal), ***à + infinitif.***

Exemple: *Brigitte Bardot habite* ***à Saint Tropez****. Elle y habite.*
Y *représente à Saint Tropez.*

Elle croit *à la dignité des bêtes.* Elle **y** croit.
Y *représente l'idée.*

Elle a aidé les bêtes. Elle **y** a réussi.
Y *représente à le faire.*

- Dans un article tiré du magazine *Elle*, Brigitte Bardot répond aux questions du journaliste Henry-Jean Servat:

– Vous êtes partie en guerre contre les manteaux de fourrure mais il fut un temps où vous en portiez.
– Je sais. Et lorsque, rétrospectivement, *j'y pense*, je suis malade d'avoir pu faire une pareille bêtise.
– Un jour, arrivant chez vous à Bazoches, en larmes à la suite d'un reportage insoutenable venant de montrer à la télévision un effroyable mouroir d'enfants roumains, je vous ai vue prendre votre téléphone, remuer le ciel et la terre pour trouver un responsable de l'association leur venant en aide et établir un chèque de 50 000 F. Vous n'avez jamais voulu que ça se sache.
– Ce n'est pas la peine. Ceux qui me détestent *y trouveront* toujours à redire.

j'y pense: ***y*** représente l'idée d'avoir porté des fourrures. On pense ***à*** quelquechose. Egalement, ***être, aller*** se construisent souvent avec ***à***: Allez-vous ***à la résidence*** de Brigitte Bardot? Oui, j'***y*** vais. Etes-vous ***à Saint Tropez?*** Non je n'***y*** suis pas encore arrivé.

y trouveront: ***y*** représente l'idée qu'elle a offert un chèque

Activité 1

Lisez les phrases suivantes et puis écrivez-les de nouveau en remplaçant les mots soulignés par ***y***.

Exemple:
Les touristes obligent Brigitte Bardot à se cacher.
*Les touristes l'****y*** *obligent.*

1 Elle ne pense plus *au cinéma.*
2 On la voit rarement *à Paris.*
3 Elle n'est pas revenue *à l'écran.*
4 Je ne me sens plus chez moi *à Saint Tropez.*
5 Saint Tropez? N'en rêvez plus. Allez *à Saint Tropez.*
6 Brigitte se tient *à sa décision d'abandonner le cinéma.*
7 Plusieurs chiens habitent *chez elle.*
8 Elle déteste la cruauté qui règne *dans notre monde.*

A noter

Dans la langue parlée, ***il y a*** et ***il n'y a pas*** se prononcent souvent ***y a*** et ***y a pas.*** Regardez cette «pub» pour le fromage *Kiri.*

Corrigé

Atelier 5 — section contrôle

Activité 1: possible answers **a** C'est un *bon* roman. **b** Le héros est un *jeune* aristocrate. **c** Il connaissait de *pauvres* paysans. **d** *Avant*, ils vivaient à la campagne. **e** La révolution *communiste* eut lieu en octobre. **f** les adultes ont lutté *férocement*. *Activité 2:* **a** C'est un roman sans violence *mais* il s'agit ... **b** la vie y paraît triste *et* les ... **c** Le livre est un best-seller, *donc* ... **d** Cendrillon avait deux soeurs, *or*, ces ... *Activité 4:* **a** L'héroïne fuit le village *où* elle ... **b** Elle adorait son grand-père *qui* ... **c** Elle écrit la saga d'une famille *dont* la tragédie ... *Activité 5:* **a** Je vous conseille d'aller en Normandie [principale] parce que vous ... [subordonnée] **b** ce n'est pas la peine d'aller au supermarché [principale] Comme il y a un grand choix de fromages au marché de Honfleur [subordonnée]. **c** A Honfleur, il se trouve un excellent hôtel [principale] qui s'appelle ... [subordonnée.] **d** Je me suis souvent demandé [principale] si l'accueil ... [subordonnée]. *Activité 6:* **a** les fromages **b** Jacques et Yvonne Burin **c** Le petit déjeuner **d** vous *Activité 7:* **a** sujet **b** complément **c** complément **d** complément **e** sujet **f** complément **g** sujet. *Activité 8:* **a** du piano **b** — **c** mon arrière-grand-père. **d** — **e** mon frère **f** nous. *Activité 9:* *écrire*, 3ième groupe, *écriras* 2ième p.s., futur, ind. active. *ai écrit*, première p.s., passé composé, ind. active. *lire*, 3ième groupe, *lira* 3ième p.s., futur, ind., active. *destiner*, premier groupe, *sont destinés*, 3ième p. masc. pl., présent ind. passive. *apporter*, premier groupe, *a apporté*, 3ième p.s., passé composé, ind. active. *être*, verbe irrégulier, *étais*, première p.s., imparfait, ind. active. *croire*, 3ième groupe, *ai cru*, 1er personne s., passé composé, ind. active. *sembler*, premier groupe, *semble* 3ième p.s., présent, ind. active. *Activité 10:* **a** Exemple du style de reportage typique du *Monde*: Vocabulaire neutre, objectif, très précis. Phrase longue, composée de plusieurs propositions; emploi du passé composé, et du passif. Le registre courant. **b** Style anecdotique typique de la langue parlée, plein d'élisions, de phrases coupées et de répétitions. Temps présent et passé composé. Vocabulaire simple et concret. Le registre familier.

à caractéristique

Activité 1: **1** La femme aux boucles d'oreille. **2** L'enfant aux cheveux longs. **3** La femme à la robe verte. **4** L'homme aux yeux bleus. **5** La fille aux cheveux noirs. **6** L'homme à la pipe. **7** La femme au chapeau de paille.

à préposition

Activité 1: **1** a **2** à **3** à la **4** au **5** au **6** à **7** à

verbes + à + complément

Activité 1: **1** Je lui ai offert ... **2** Je leur ai téléphoné ... **3** Elles lui ont écrit ... **4** Ses collègues nous ont dit ... **5** Claude leur a répondu. **6** Elle y a envoyé une lettre. *Activité 2* **1** Claude S. y songe. **2** Il faut faire attention à eux. **3** Il ne faut pas y faire attention. **4** Nous nous opposons à lui. **5** Mais je m' y intéresse.

accent

Activité 1: **1** feast **2** island **3** paste **4** coast **5** mast. *Activité 2:* délégué ... à ... rappelé ... Académie ... française ... changé ... à ... côté ... révolution ... déclaré ... paraîtront ... à ... rentrée ... réforme ... éditeurs ... problème ... coûteux.

accord: adjectifs

Activité 1: **1** couverte **2** neuves **3** blanche **4** pourris **5** jeunes **6** rouge **7** noire **8** verdoyant **9** rénovée. *Activité 2a:* indécis, rose, roses, premiers, toutes, seul, différents, capables, préparés, persillé. *Activité 2b:* curieuse, aucune, vieille, étonnante, peints, clairs, jaune pâle, vieillot, conventionnel, polies, tremblotants, grandes, meublés, bonnes, tous, anciens, hautes, profondes, ventrues, imprévue, ronde, petite. *Activité 2c:* propres, bruns, assise, osseuse.

accord: verbes

Activité 1: **1** descendus **2** partie **3** retournés *Activité 2:* **1** regardé **2** vue **3** tombé **4** suivie **5** parlé **6** répondu. *Activité 3:* **1** regardés **2** embrassés **3** écrit **4** parlé *Activité 4:* écrite, perdue, parlé, expliqué, écrit, reçue, écrit, revue. *Activité 5a:* **1** remarqué **2** sortie **3** suivie **4** entendu **5** vu **6** demandé. *Activité 5b:* **1** vu **2** restée **3** vu **4** entendu **5** montée **6** avoué **7** allée **8** grondée. *Activité 5c:* **1** trouvée **2** parlé **3** contentée **4** demandé **5** fermé *Activité 5d:* **1** suivi **2** donné **3** rendue **4** quittée **5** arrêtée **6** approché **7** contentée **8** entrée **9** approché **10** mis **11** téléphoné.

adjectif

Activité 1: **immigrés**: adjectif masculin pluriel placé après le nom, **isolées:** adjectif féminin pluriel placé après le nom, s'accordant avec *personnes*, **longue**: adjectif féminin singulier, placé avant le nom, s'accordant avec *durée*, **vrais:** adjectif masculin pluriel s'accordant avec *logements*, placé avant le nom parce qu'il veut dire *réel*. *Activité 2:* **1** belles **2** différent **3** britannique **4** extérieur **5** intérieur **6** épaisse **7** cosy **8** chaleureux **9** feutrée **10** nouveau **11** copieux **12** nombreuses **13** superbes **14** intéressante **15** meilleures *Activité 3:* Exemple: la ferme *pimpante* ... (spruce-looking) *Activité 4:* barbouillé, éventrés *Activité 5:* **1** détruit, malheureux, brave, rond, violents, jeune, tunisienne, sages, bleus pétillants. **2** Exemples: Le serveur: un monsieur sympathique, une victime. Daniel: un voyou. Hayet: une jeune fille aimable et jolie. **3** Exemples: Il est sincère, son regard triste est émouvant ... Le serveur du bistrot furieux est hors de lui. Sa haine violente pour les vandales se voit.

adjectif: comparatif, superlatif

Activité 1: **1** l'archer le plus original **2** la plus petite salle de bain **3** la meilleure lessive **4** le plus long nez **5** le plus grand scout **6** le cheval le plus rapide **7** la plus grande chaussette **8** le cycliste le plus prudent **9** le musicien le plus original **10** le meilleur lanceur de.

adjectifs possessifs

Activité **1** votre **2** vos **3** vos **4** mes **5** ma **6** votre **7** vos **8** vos **9** leurs **10** leurs **11** nos **12** vos **13** votre **14** vos **15** vos **16** notre **17** nos **18** nos **19** nos **20** ses **21** leurs **22** ton **23** ton **24** son **25** votre **26** vos **27** vos

adverbe

Activité 1: Exemple: assurément. *Activité 2:* 1 tout 2 tout 3 les cheveux tout blancs 4 toutes 5 tout.
Activité 3: tranquillement, bizarrement, trop, tard, aussi, vite.
Activité 4: 1 Ensuite, elle ... 2 parla lentement (pour insister sur l'adverbe, *lentement elle parla* ...) 3 suivit docilement 4 Heureusement, elle ... 5 Bientôt, il ne resta ... 6 C'est seulement pour vous aider ...

aller + infinitif

Activité 1: je vais pouvoir[2], tu vas y rester, ça va être, je t'écrirai, tu vas être, vous allez pouvoir, je vais lui en parler, ça ne va pas le faire frimer, il faudra faire gaffe, vont essayer, vous allez voir, elle va aller. *Activité 2:* vous allez faire, vont marcher, vous n'allez pas vaincre, vous allez prendre, ils vont donner, vous allez être, on va vous faire, vont aller, vont vous permettre, vous allez en profiter, il va falloir.

après avoir/être/s'être + participe passé

Activité 1: Etienne Daho a chanté deux ... il a quitté la scène. Sean K. est arrivé à Dijon ... il est entré en collision.

avant de, avant que

Activité: 1 pendant 2 après 3 avant 4 avant 5 après 6 pendant 7 avant. *Activité 2:* 1 de partir 2 qu'il fasse 3 de partir 4 qu'il ait pris

ce, cet, cette, ces, -ci, -là

Activité 1: 1 Cet 2 Ces 3 ce 4 ce.

celui, celui-ci, ceci, ça

Activité 2: Exemples: 1 Laquelle ce ces montres préférez-vous? Celle qui est en or ou celle qui est en métal doré?
2 Lequel de ces collants as-tu acheté? Celui qui est mat ou celui qui est soyeux? 3 Lequel de mes disques veux-tu emprunter? Celui de *Dire Straits* ou celui qui a lancé Eric Clapton?
4 Lesquelles de ces chaussettes préfères-tu? Celles qui sont en laine et Lycra ou celles de Ralph Laurent?

ce qui, ce que, ce dont

Activité 1: 1 Ce que ses parents lui ont dit, c'est qu'elle était née à Pierrefont. 2 Ce qu'ils ont oublié de préciser, c'est qu'à l'époque, Pierrefont était encore un bidonville. 3 Ce qui aurait pu la révolter, c'est la façon dont tout ça a pu se passer: l'immigration ... *Activité 2:* 1 ce qui 2 ce qu' 3 ce que 4 ce qu' *Activité 3:* 1 qu' 2 qui, ce qui, ce dont

c'est, il est

Activité 1: 1 c'est 2 il est, c'est bien 3 c'est 4 c'est 5 c'est, Il y est 6 C'est ce qu'on, c'est, c'est

chiffres et nombres

Activité 1: 1 dix-sept mille 2 deux cent soixante 3 quatre-vingt-douze *Activité 2:* 1 deux cent soixante 2 trois cents 3 cinq cents 4 quatre cents 5 trois cent soixante-dix 6 trois cent cinquante 7 cent soixante-dix 8 deux cents 9 cent 10 six cent cinquante

conditionnel

Activité 1: 1 serait 2 devrait 3 pourrait, se disputeraient, prêterait *Activité 2:* 1 aurait été 2 aurait continué 3 serait 4 l'emmènera *Activité 3:* 1 **a** qu'aurais-je fait de ma vie **b** S. dirait que le temps ne marche pas à l'envers **c** Je mentirais si je disais non. 2 Ex: J'aurais choisi l'allemand au lieu de l'histoire, mais j'aurais toujours choisi le français.
Activité 4: 1 il semblerait, se serait rendue coupable, auraient voulu, garderait 2 Exemples: La jeune fille n'a pas été battue. La famille habite dans une cité HLM du quartier nord de Marseille.
Activité 5: aurait tenté, serait entré, serait monté, il aurait été livré.

depuis

Activité 1: 1 Le thermomètre monte depuis 3 jours. 2 La France est accablée de chaleur depuis 3 jours. 3 La sécheresse menace les forêts depuis un mois. 4 La région sahalienne manque d'eau depuis les années 70. 5 Ils avaient peur des incendies depuis des années. 6 Ils manquaient d'eau depuis 20 ans.

devoir

Activité 1: Les petits devront/doivent faire attention ... Nous ne devons pas lancer ... Nous ne devons pas courir, Nous ne devons pas jouer ... Nous devons tenir ... Nous ne devons pas jeter ... Nous devons actionner ... Nous ne devons pas arracher ...
Activité 3: 1 Tu n'aurais pas dû abîmer le travail de Farah.
2 Tu aurais dû ranger tes affaires. 3 Tu aurais dû nettoyer la cage.

dont, duquel, de qui

Activité 1: 1 De violents incendies, dont un près de Cassis, ont éclaté mardi. 2 Plusieurs personnes ont été évacuées dont la plus âgée a dû être transportée à hôpital. 3 Les bombardiers d'eau, dont le plus puissant est le nouveau Hercules, sont venus de Marignane. 4 Des incendies, dont le plus grave a détruit des maisons, n'ont pas été maîtrisés. 5 Une maison, dont les volets étaient bleus, a été brûlée. *Activité 2:* 1 Les personnes évacuées ***dont*** elle s'est occupée étaient affolées. 2 Les bombardiers ***dont*** se servaient les pompiers venaient de Marignane. 3 La flotte ***dont*** on avait besoin est basée à Toulon. 4 Cet incendie ***dont*** ils se souviendront toujours était effrayant. *Activité 3:* 1 Le village palestinien à côté duquel se trouve la communauté ...
2 La communauté d'Ofra au milieu de laquelle se trouve l'école.
3 Les pistolets à l'aide desquels les gardes protègent les enfants.
Activité 4: 1 dont 2 près desquels/de qui 3 dont 4 de qui 5 dont.

en: préposition

Activité 1: 1 en ruine 2 en sept minutes 3 en forme 4 en utilisant l'accès 5 en voltige 6 en trois phases 7 en sens inverse 8 en écharpe 9 s'en recoiffe 10 en arrière 11 en métal chromé

en: pronom

Activité 1: 1 Prenez-en un. 2 Je ne veux pas en manger trop.
3 Donne-en un peu à tes frères. 4 Ils en ont déjà mangé assez.
Activité 2: 1 Il n'y en avait plus. 2 Il n'en mange jamais assez.
3 Qui en veut? *Activité 3:* 1 Tu en as envie? 2 Je ne m'en occupe pas. 3 Elle s'en souvient. 4 Nous n'en avons pas besoin.

futur simple

Activité 1: hâter, dépasser, marcher, deviner, ralentir, se trouver, dire, répondre, rire, falloir, falloir, marcher, entrer, falloir, avoir, arriver, avoir, se trouver, se retourner, attendre avancer, serrer, rire. *Activité 2:* 1 irai 2 arriverai 3 partirai 4 changerai 5 rejoindrai 6 prétendra 7 expliquerai
Activité 3: a elle me clouera (clouer), renverra (renvoyer), serai (être), je me sentirai (se sentir), s'en apercevront (s'en apercevoir), se moqueront (se moquer), saurai (savoir), pourrai (pouvoir), dira (dire), grondera (gronder), auront (avoir), durera (durer), gagnerai (gagner), devrai (devoir), serai (être), irai (aller).
b Irréguliers: renvoyer, être, s'apercevoir, savoir, pouvoir, dire, avoir, devoir, aller.

imparfait

Activité 1: Exemple: 1 Avant elle s'absentait souvent mais elle a échoué à son examen de français et maintenant elle ne sèche jamais les cours. *Activité 2:* Exemple: Je suis myope; il y a dix ans je n'avais pas besoin de lunettes.

impératif

Activité 1: 1 Partez en vacances! 2 Faites un petit effort! 3 Ne prenez pas ces pilules! 4 Saisissez l'occasion! 5 Parlez-lui-en! 6 N'ayez pas peur! 7 Range tes affaires! 8 Bois de l'eau (et non pas du vin!) (ne bois pas de vin!). 9 Demande-la-leur! 10 Reponds à la lettre de Charles! 11 Viens à Noël! 12 N'y fais pas attention! 13 Sortons faire une promenade! 14 Descendons au prochain arrêt! 15 Changeons de place! 16 Appelons un taxi! 17 Dépêchons-nous!
18 Réfléchissons-y! *Activité 3:* 1 oubliez 2 ouvrez 3 observez 4 dirigez 5 soufflez 6 mettez 7 veillez 8 abritez 9 tardez

infinitif

Activité 1: Elle la voit envoyer du sable; elle la voit prendre la bouée du petit garçon; elle la voit jouer avec les petits arabes; elle la voit aller plus loin que le parasol orange; elle la voit abandonner ses moules. *Activité 2:* 1 a commencé 2 voulait 3 a dit 4 a continué 5 a refusé 6 venir s'asseoir.
Activité 3: 1 Sans hésiter elle a joué. 2 Au lieu de jouer gentiment … 3 Avant de grimper sur les rochers … 4 Au lieu de jouer avec ses moules … *Activité 4:* Exemples: Prendre d'abord la radio, un livre, des chocolats; entrer ensuite dans la salle de bains; fermer la porte de la salle de bains à clef … .
Activité 6: 1a Madame F. fera poser les étagères par son mari. b Elle les fera poser. c Elle ne les fera pas poser. 2a Ils font nettoyer l'appartement par … b Ils le feront nettoyer. c Ils ne le feront pas nettoyer.

le, la, l' les: l'article défini

Activité 1: La tension … dans les lycées … la région … pour les élèves et les professeurs … les moyens … la violence … la répression ou le dialogue … la cité … la situation de l'école … les problèmes … òu les relations … l'Éducation … la liste

lui ou l', le, la/leur ou les

Activité 1: 1 l' = Valérie 2 la = Valérie 3 lui = à Valérie 4 l' = ma déclaration *Activité 2:* 1 Il l'aime. 2 Il la désire. 3 Il lui a avoué son amour. 4 Il lui a écrit. 5 Parce que quelqu'un l'aimait. 6 Il lui a écrit d'autres lettres. 7 Dès qu'il l'approche. *Activité 3:* l'aime, l'aborder, de lui parler, lui dire. *Activité 4:* 1 Ils leur ont répondu. 2 Ils veulent leur répondre. 3 Je leur ai envoyé la lettre. 4 Elle ne lui a pas téléphoné: elle lui a écrit. *Activité 5:* … si elle veut bien coucher avec lui. Et comme elle répond «non», le garçon ne fait plus attention à elle et *l'*oublie. Elle en a parlé à ses amies et elles *la* découragent en *lui* disant que les garçons sortent avec elle uniquement pour son physique. Ça *la* rend dingue! Il y en a même un qui *lui* a avoué qu'il sortait avec elle parce que ses copains *la* trouvaient mignonne. Mais elle, elle ne veut pas avoir de rapports tant qu'un garçon ne *l'*aimera pour ce qu'elle est. Elle a un coeur, une âme, des sentiments. Elle n'est pas qu'un visage et un corps. Est-ce que nous comprenons cela? Alors aujourd'hui elle a la haine des mecs, elle s'est mis dans la tête qu'ils sont tous pareils. Et elle a le moral à zéro. Voyons-nous une solution à son problème?

majuscule ou minuscule?

Activité 1: 1 a Il habite la France. Il parle français. b Elle est italienne. c Elle habite en Grèce. d Elle travaille pour le magazine grec. 2 a Il est sud-africain. b un journal français c en Grèce d du Danemark e Dublin *Activité 2:* L. T., la Danoise, habite au Danemark et parle danois. A. P. B., la Portuguaise, habite au Portugal et parle portuguais. A. J. G., la Hollandaise, habite aux Pays-Bas et parle hollandais. K. N., l'Anglaise, habite au Royaume-Uni et parle anglais. A. A., l'Italienne, habite en Italie et parle italien. C. F., la Luxembourgeoise, habite au Luxembourg et parle allemand. C. R., l'Allemande, habite en Allemagne et parle allemand. M. M., la Grecque, habite en Grèce et parle grec. A. S., la Belge, habite en Belgique et parle flamand et français. M.-J. C. S., l'Espagnole, habite en Espagne et parle espagnol. M.-F. A., la Française, habite en France et parle français.

négation

Activité1: ne sont pas, n'ont l'air ni de … ni de danseurs, aucun mime n'a, ne pas avancer, ne se passe rien, rien ne, n'est pas, personne ne doit plus bouger, n'ont tourné que, ne voulait plus entendre, il ne s'arrêta plus. *Activité 2:* 1 n'ont jamais vu 2 personne ne s'intéresserait 3 ne reste aucun 4 n'y a plus 5 ne pourrait jamais 6 n'y a que 7 ne mangent rien 8 Ni le gouvernement français ni le grand public ne veulent 9 n'a jamais tourné 10 n'a plus

participe présent

Activité 1: … qui se baignent, qui se lavent, qui s'essuient, qui se peignent ou se font peigner. *Activité 2:* 1 une femme cousant 2 des femmes dansant 3 des artistes peignant
Activité 3: 1 En peignant des paysans belges. 2 En se coupant l'oreille. 3 En le soignant. 4 En visitant le musée.

passé antérieur

Activité 1: 1 eurent entendu 2 fus entré 3 était parti 4 fut parti 5 eut servi.

passé composé

Activité 1: J'ai senti … s'est vidé … J'ai pensé … Je suis descendu … j'ai fait … j'ai mangé … J'ai encore voulu … j'ai eu … J'ai fermé … J'ai vu … *Activité 2:* je me suis ennuyé *-er*, j'ai erré *-er*, j'ai dû *-oir* (irreg.), j'ai pris *-re* (irreg.), je l'ai lu *-re* (irreg.), j'ai découpé *-er*, je l'ai collée *-er*, je me suis lavé *-er*, je me suis mis *-re* (irreg.), je suis rentré *-er*, je suis revenu *-ir* (irreg.), s'est assombri *-ir*, j'ai cru *re* (irreg.), Il s'est découvert *-ir*, (irreg.), Je suis resté *-er*, sont arrivés *-er*, ont ramené *-er*, j'ai reconnus *-re* (irreg.), m'ont fait *-re*, (irreg.), m'a crié *er*, On les a eus *-oir* (irreg.), ont commencé *–er* ***Activité 3:*** avons vu, sommes descendus, s'est jetée, avons attendu, j'ai fini, j'ai plongé, est entré, s'est jeté, nous sommes éloignés, j'ai laissé, je suis rentré, je me suis étendu, j'ai mis, ai dit, est venue, je me suis retourné. ***Activité 5:*** 1 se sont approchés 2 s'est retournée 3 se sont vidées 4 se sont embrassés 5 s'est dirigé. ***Activité 6:*** 1 assis 2 éclaté 3 emmenée 4 poursuivie 5 appelé 6 écouté 7 données

passé composé et imparfait

Activité 1: **Imparfait**: passais, envoyait, gardais, ne semblaient pas (habitude), savaient, refusaient (circonstances), scrutais (habitude), il n'y avait (circonstances), donnait (habitude), n'avait-il pas (circonstances), ils allaient (action en cours). **Passé composé**: j'ai cru (l'événement a duré longtemps mais ne continuait plus), m'a donné, je n'ai pas pensé, j'ai lorgné, je ne lui ai pas rendu, j'ai fait semblant, il ne m'a rien demandé (événement à un moment précis). ***Activité 2:*** avait, comptait, appartenait, l'ai secoué, j'ai plié, j'ai failli, j'ai regardé, j'ai été prise, étaient.

passé simple

Activité 1: 1 Je n'entendis. 2 Je fus. 3 Je regardai. 4 Je décidai. 5 Je revins. 6 Mon père me regarda … me caressa … puis déchargea … et me le tendit. 7 Il ouvrit.
Activité 2: manifesta, eûmes, refusa, plongeai, porta, hurla, eurent, corrigea, décidâmes. ***Activité 3:*** J'avais, J'étais, parla, fus, s'arrêta, m'indiqua, arriva, reconnus, avait, dépassaient. N. B. It would not be grammatically wrong to put *parlait* but the meaning would change and the implication would be that the doctor spoke on more than one occasion. The same comment applies to *j'étais mis* and *s'arrêtait.*

passif

Activité 1: 2 Une patrouille de police passe. 3 On demande à Thierry de montrer ses papiers. 4 Il fait remarquer le ton peu amical des agents. 5 Thierry est empoigné, bousculé, envoyé balader contre le mur par un agent en civil. 6 Jeanne se met à crier et se jette sur les policiers… ***Activité 2:*** 1 Ils ne seront relâchés que vers 0.30. 2 La famille est avertie. 3 Les deux jeunes gens sont conduits au commissariat. 4 Elle est aussitôt plaquée à terre. ***Activité 3:*** 1 La rame est attendue par les voyageurs. 2 Les papiers seront pris par l'agent. 3 Son frère va être protégé par J. 4 Un procès-verbal a été écrit par les agents. 5 Une incisive a été cassée par quelqu'un.
Activité 4: 1 Un message leur a été transmis. 2 Les jeunes ont été aidés. 3 Les agents ont été battus. 4 Le procès-verbal leur a été lu. ***Activité 7:*** 1 ont été incendiés 2 un attentat a été commis, le bâtiment a été endommagé, le concierge a été commotionné, la charge avait été déposée, avait déjà été visé 3 ont été inculpés, il leur est reproché, a été écroué, ont été laissés en liberté. ***Activité 8:*** 1 Le concierge a été commotionné. 2 La charge avait été déposée devant l'entrée. 3 L'immeuble avait déjà été visé. 4 Deux véhicules ont été incendiés. 5 Les deux gérants ont été inculpés. 6 … ont été laissés en liberté. 7 Le bâtiment a été sérieusement endommagé.

plus-que-parfait

Activité 1: Il a dit qu'il avait déjà préparé… Elles ont dit qu'elles avaient gagné … Ils ont dit qu'ils étaient sortis… Il a dit qu'il avait rêvé… Elle a dit qu'elle était partie.

présent

Activité 1: 1 Le présent de narration. 2 Le présent de narration. 3 Une action actuelle/un état actuel. 4 Des circonstances plus ou moins permanentes. 5 Des circonstances plus ou moins permanentes.

Activité 2:

1	combine	combiner	reg.
	succèdent	succéder	reg. apart from accent changes
	portent	porter	reg.
	est	être	irreg.
	comprend	comprendre	irreg.
	fixe	fixer	reg.
	trouve	trouver	reg.
2	sont	être	irreg.
	peux	pouvoir	irreg.
	est	être	irreg.
	reste	rester	reg.
	vois	voir	irreg.
	fais	faire	irreg.
	vois	voir	irreg.
	sont	être	irreg.
	est	être	irreg.
	sais	savoir	irreg.
	vois	voir	irreg.
	entends	entendre	reg.
	est	être	irreg.
	peux	pouvoir	irreg.
	passe	passer	reg.

Activité 3: **Extrait 3: 1** sont 2 contient 3 favorisent 4 obligent **Extrait 4: 1** bivouaque 2 subit 3 sont 4 se groupent 5 généralisent **Extrait 5: 1** émergent 2 provient 3 se forme 4 passe 5 s'évapore 6 se dissipe 7 atteint 8 mettent

pronoms personnels

Activité 1: 1 Suivez-moi! 2 Ne me suivez pas! 3 Regardez-moi! 4 Ne me regardez pas! 5 Levez-vous tôt! 6 Ne vous couchez pas tard! ***Activité 2:*** 1 Avec eux je suis allé … 2 Eux. 3 Lui. 4 Toi. 5 Devant elle. ***Activité 3:*** 1 Oui, je les mérite. 2 Oui, je veux les recevoir. 3 Oui, je l'ai vu. 4 Non, je ne l'ai pas vu. ***Activité 4:*** Possible answers: 1 Est-ce que tu le comprends? 2 Est-ce que tu les as méritées l'année dernière? 3 Est-ce que Muche les a, lui? 4 Tu veux aller voir l'inspecteur? ***Activité 5:*** 1 Il les mérite dix fois mais il ne les aura pas cette année. 2 Je les ai moralement … 3 Il aimerait le voir. 4 Il ne voudrait pas lui désobéir. 5 Il lui a demandé pourquoi il ne les avait pas. 6 Il l'aime et il veut l'épouser. 7 Elle ne l'aime pas et elle ne veut pas l'épouser.

pronoms – position

Activité 1: 1 Il le lui manque. 2 Je vous le rends. 3 Je les lui ai donnés. 4 Elle les leur a donnés. 5 Elle le lui a acheté. 6 Elle ne les lui a pas achetés. 7 Elle ne leur en a pas donné. 8 Pas question que je vous la donne. 9 Pas question qu'elle me la donne. 10 Pas question qu'elle les leur donne. 11 Pas question qu'il les y mange. 12 Si on se l'offrait? 13 Si on la lui offrait? 14 Si on les leur offrait? 15 Si je vous l'offrais?

pronoms possessifs

Activité 1: 1 C'est le tien. 2 Ce sont les miens. 3 C'est la mienne. 4 Je préfère mon pays au vôtre. 5 … les francophiles aiment mieux le leur. 6 … il parle de la sienne.

quantité

Activité 1: 1 de tels sacrifices/de plus en plus de sacrifices. 2 tout l'équipage/la plupart de l'équipage 3 certaines rivières/plusieurs rivières 4 de bien des/de la plupart des rivières 5 3 ou 4 pilules/quelques pilules 6 trop occupée pour se regarder dans la glace/et il ne lui restait plus de temps libre. 7 quelques-uns des dauphins, certains dauphins 8 cinquante pour cent des arbres/la moitié des arbres 9 Ils passent la majeure partie de leur temps/ils passent la plupart de leur temps 10 aucun arbre n'est épargné/tous les arbres sont atteints 11 tout le monde devrait aider/tout homme, toute femme devrait aider *Activité 2:* 1 Elles n'ont jamais sauvé de baleines. 2 Il n'y a pas de mers polluées. 3 Elles ne font plus de recrutement. 4 Ce n'est pas du vin.

questions

Activité 1: Exemple: Tu as des diplômes? *Activité 2:* 1 Percevez-vous? 2 Ne voyez-vous pas? 3 Se plaignent-ils? *Activité 3:* 1 Espère-t-il voir? 2 Y a-t-il de très …? 3 Participe-t-elle à …? *Activité 4:* 1 Ce ministre, ne méprise-t-il pas? 2 Les conditions, ne sont-elles pas décentes? 3 Le gouvernement, ne devrait-il pas entamer …? *Activité 5:* 1 quel 2 quels 3 quelle 4 quel *Activité 6:* 1 que 2 qui 3 qu' 4 lequel 5 qui *Activité 7:* 1 Pourquoi je leur faisais confiance? 2 Pourquoi leur faisais-je confiance? 3 Pourquoi est-ce que je ne leur faisais pas confiance?

qui, que (pronoms relatifs)

Activité 1: *… qui sera l'héritier du trône* modifie *fils aîné du roi. … que le seigneur accorde* modifie *la terre. …qui loue ses services* modifie *Un soldat.* *Activité 2:* que signent, qui est nommé, qui commande, que le roi, qui garantit, contribution que, paysan qui, qui cultive, que portait, qui ressemble.

subjonctif

Activité 1: Exemples: 1 aillent 2 veuille 3 ne devienne pire 4 aient envie de 5 comprenne *Activité 2:* (Possible answers) 1 il est étonnant qu'il soit toléré 2 je crains qu'une telle émeute ne recommence 3 fassent attention à ce que leur disent les jeunes 4 qu'il n'y en ait pas besoin ici? 5 arrête les voyous *Activité 3:* 1 ... sans se plaindre 2 Avant que tu puisses retourner 3 Afin qu'ils soient sages **Exemples:** 4 ... les deux élèves ont obéi. 5 ... le directeur les a punis. 6 ... elle a vu son copain. 7 ... son copain l'a saluée. 8 ... les autres élèves ont caché son cartable. 9 ... ils ont écouté attentivement. 10 … puissent suivre ses instructions, le professeur leur a dit de l'écouter. *Activité 4:* 1 Il faut que nous comprenions. 2 Il faut qu'ils fassent … 3 Il faut que vous soyez … *Activité 5:* 1 Il vaut mieux qu'il joue … 2 Il me semble qu'il est … 3 Il est temps qu'on choisisse … 4 Il est probable qu'on trouvera … 5 Il faut que tu voies … *Activité 7:* 1 que j'aie lu 2 soit 3 puisse 4 puisse *Activité 11:* *Soit* et *fasse* suivent des verbes exprimant un sentiment. L'indicatif suit le verbe *espérer.* *Activité 12:* 1 lise 2 faire … soyez 3 l'auront 4 fasse … soit 5 j'aie lu 6 puisse 7 soit 8 a voulu 9 vivent 10 soient … devrions 11 réfléchisse … parler 12 puissent

venir + de + infinitif

Activité 1: 1 venais 2 viens 3 venais 4 venais.

verbes pronominaux

Activité 1: 1 je me lève (1), se lèvent (1), se fait(2a), nous allons nous promener (1) 2 se mangent (3) 3 se sont séparés (2a) 4 je ne me souviens pas (4) 5 se téléphonent (2b) 6 ne se vendent pas (3) 7 se forment (1), s'accumulent (1), se forment (1), s'étendent (1), se dispose (1) 8 s'est connu/reconnu (2a), s'est perdu/r'perdu (2a), s'est retrouvé (2a), s'est réchauffé (2a), s'est séparé (2a), je me suis saoulé (1), je me suis réveillé (1). *Activité 2:* 1 Je me, ____ 2 se boit 3 nous promener 4 ____, ____, me coucher 5 te rends, te coiffer 6 se, me, ____ 7 se plaisent, ____, s'agissait 8 se, vous.

y adverbe, pronom

Activité 1: 1 Elle n'y pense plus. 2 On l'y voit rarement. 3 Elle n'y est pas revenue. 4 Je ne m'y sens plus chez moi. 5 Allez-y. 6 B. B. s'y tient. 7 Plusieurs chiens y habitent. 8 Elle déteste la cruauté qui y règne.